Espanhol
em 30 Dias

Espanhol
em 30 Dias

Carmen R. de Königbauer e
Harda Kuwer

martins fontes
selo martins

© 2008, Martins Editora Livraria Ltda., São Paulo, para a presente edição.

© 2006, Berlitz Publishing/Apa Publications GmbH & Co. Verlag KG, Singapore Branch, Singapore

Berlitz Trademark Reg. U. S. Patent Office and other countries. Marca Registrada. Used under licence.

Todos os direitos reservados. É proibido reproduzir esta obra sem autorização prévia, ainda que parcialmente; é proibido copiá-la ou retransmiti-la por qualquer meio, seja eletrônico, mecânico (fotocópia, microfilme, registro sonoro ou visual, banco de dados ou qualquer outro sistema de reprodução ou transmissão).

Edição original 2001 Langenscheidt KG, Berlim e Munique

Publisher	Evandro Mendonça Martins Fontes
Coordenação editorial	Vanessa Faleck
Ilustrações	Ulf Marckwort, Kassel
Texto	Emily Bernath
	Gabrielle Docherty
	Christopher Gross
	Margarete Leidolf
	Juergen Lorenz
	Lorraine Sova
Produção editorial	Pólen Editorial
Capa	Renata Miyabe Ueda
Tradução	Lizandra M. Almeida
Revisão técnica e de tradução	María Teodora Rodríguez Monzú Freire
Revisão	Simone Zaccarias
	Ubiratan Bueno
Produção gráfica	Carlos Alexandre Miranda

Dados Internacionais de Catalogação na Publicação (CIP)
(Câmara Brasileira do Livro, SP, Brasil)

Königbauer, Carmen R. de

Espanhol em 30 dias / Carmen R. de Königbauer, Harda Kuwer ; [tradução Lizandra Magon de Almeida]. – São Paulo : Martins Fontes - selo Martins: 2008. – (Coleção Aprenda em 30 dias Berlitz)

Título original: Spanish in 30 days.
ISBN 978-85-99102-66-4

1. Espanhol – Gramática – Estudo e ensino
I. Kuwer, Harda. II. Título. II. Série

07-8609   CDD-465.07

Índices para catálogo sistemático:
1. Espanhol : Gramática : Linguística : Estudo e ensino   465.0

Todos os direitos desta edição reservados à
Martins Editora Livraria Ltda.
Av. Dr. Arnaldo, 2076
01255-000 São Paulo SP Brasil
Tel.: (11) 3116.0000
info@emartinsefontes.com.br
www.emartinsefontes.com.br

1ª edição Fevereiro 2008 | **3ª reimpressão** agosto 2015 | **Diagramação** A máquina de ideias
Fonte AGaramond | **Papel** Offset 90g/m² | **Impressão e acabamento** Cromosete

Sumário

Introdução 11

Pronúncia da língua espanhola 12

Lição 1 — En el avión 15
No avião

Gramática: Verbos regulares com terminação em **-ar** ■ Pronomes pessoais ■ **Ser** ■ Frases simples ■ Perguntas e exclamações ■ Negativas
País e cultura: Tipos de café

Lição 2 — En el aeropuerto 21
No aeroporto

Gramática: **Estar** ■ Artigos e substantivos ■ Formação do plural ■ Adjetivos
País e cultura: ¿Señorita? ¿Señorito?

Lição 3 — Ir a la ciudad 27
Ir à cidade

Gramática: **Ir** ■ **Ser** e **estar** ■ **Hay** ■ Posição do adjetivo ■ Números cardinais de 0 a 30
País e cultura: Pegando táxis

Lição 4 — Encuentro con la familia 35
Encontro com a família

Gramática: verbos regulares com a terminação em **-ir** ■ **Se habla** ■ Pronomes possessivos ■ Comparativo e superlativo ■ Artigo definido com **señor** e **señora**
País e cultura: Nomes espanhóis

Lição 5 — En casa 43
Em casa

Gramática: Verbos regulares com a terminação em **-er** ■ Verbos irregulares **tener/venir, tener que** ■ **Hay** e **estar** ■ **De/a + el**
País e cultura: Prédios de apartamentos na Espanha

| Lição 6 | **La vida familiar** | 51 |
| | A vida familiar | |

Gramática: Verbos cujo radical muda de **o** para **ue** ■ Verbos reflexivos ■ **Todo/a el/la, todos/as los/las** etc. ■ Contando o tempo
País e cultura: Hábitos alimentares

| Lição 7 | **En la cocina** | 61 |
| | Na cozinha | |

Gramática: **Saber – hacer** ■ Pronomes demonstrativos ■ **El/la**
País e cultura: Cozinha espanhola

| Teste 1 | | 70 |

| Lição 8 | **De compras** | 72 |
| | Às compras | |

Gramática: Verbos cujo radical muda de **e** para **ie** ■ Pronomes relativos (diretos e indiretos) ■ **Medio – otro** ■ Números cardinais de 31 a 2000
País e cultura: Horários

| Lição 9 | **En la estación central** | 81 |
| | Na estação central | |

Gramática: Futuro imediato com **ir + a** + infinitivo ■ **Hay que** + infinitivo ■ **Para** ■ Números ordinais
País e cultura: Viagem de trem

| Lição 10 | **En la información turística** | 89 |
| | No centro de informações turísticas | |

Gramática: Verbos cujo radical muda de **c** para **zc** ■ Pronomes objeto depois de preposições ■ **Quisiera** + infinitivo ■ **Estar + para** + infinitivo ■ **Por**
País e cultura: Alcázar

| Lição 11 | **La primera cita de Karen** | 97 |

O primeiro encontro de Karen

Gramática: **Dar – salir** ■ **Conmigo/contigo/consigo**
■ **A** como objeto direto ■ Nós, espanhóis...
País e cultura: Comunicação

| Lição 12 | **Visita a la ciudad** | 105 |

Visita à cidade

Gramática: Particípio passado ■ Pretérito perfeito do indicativo ■ **Ver** ■ **Y – e** ■ Exclamações
País e cultura: Las tapas

| Lição 13 | **En el restaurante** | 113 |

No restaurante

Gramática: Verbos cujo radical muda de **e** para **i**
■ Pronomes indefinidos ■ Duplas negativas ■ **Estar + bien/mal ser + bueno/malo**
País e cultura: ¿Dónde comer en España?

| Lição 14 | **Una situación desagradable** | 121 |

Uma situação desagradável

Gramática: Particípio passado irregular ■ Advérbios
■ Diminutivos
País e cultura: O modo de vida espanhol

| **Teste 2** | | **128** |

| Lição 15 | **Una llamada telefónica** | 130 |

Uma chamada telefônica

Gramática: Gerúndio ■ Formas irregulares de gerúndio
■ Regras para o uso do gerúndio ■ **Decir – oír – seguir**
■ **Volver a** + infinitivo
País e cultura: Ligações telefônicas

| Lição 16 | **La moda** | 137 |

A moda

Gramática: Condicional ■ Formas condicionais irregulares ■ Pronomes duplos com o verbo
País e cultura: Roupas

| Lição 17 | **En la comisaría** | 145 |

Na delegacia de polícia

Gramática: Pretérito indefinido: passado de verbos irregulares ■ **Al/sin** + infinitivo ■ **De** ■ Quantidades depois de substantivos
País e cultura: A polícia

| Lição 18 | **Vamos de cámping** | 153 |

Vamos acampar

Gramática: Formas irregulares do indefinido ■ Negação: **no ... ni ... ni** ■ **O – u**
País e cultura: Camping na Espanha

| Lição 19 | **Un viaje en coche** | 161 |

Uma viagem de carro

Gramática: Outras formas irregulares do indefinido ■ Suposições ■ **Bueno/malo/grande** + substantivo – **buen, mal, gran**
País e cultura: Espanha de carro

| Lição 20 | **Un accidente** | 169 |

Um acidente

Gramática: Pretérito imperfeito ■ Formas irregulares do imperfeito ■ Quando usar o imperfeito ■ Outras formas irregulares de indefinido: **dar, venir**
País e cultura: Dirigindo na Espanha

| Lição 21 | **¡Viva el deporte!** | 177 |

Viva o esporte!

Gramática: Comparação entre o imperfeito e o indefinido ■ Repetindo pronomes objeto ■ **Me gusta – me gustan** ■ **Muy/mucho** ■ **Jugar**
País e cultura: Para fãs

Teste 3		**186**

Lição 22	**Busco un nuevo trabajo**	**188**
	Em busca de um trabalho novo	

Gramática: Futuro ▪ Formas irregulares do futuro
▪ Pronome sujeito **uno/una**
País e cultura: O mercado de trabalho

Lição 23	**En el Rastro**	**197**
	No mercado de pulgas	

Gramática: Usando o futuro para fazer uma suposição
▪ O artigo definido como pronome demonstrativo
▪ Comparações com **más/menos que**
País e cultura: El Rastro

Lição 24	**Hacer unos recados**	**205**
	Executando tarefas	

Gramática: Voz passiva ▪ Passiva descritiva ▪ Formas passivas com **se** ▪ Obrigações expressas com **deber** + infinitivo
▪ **Quería – querría** ▪ **Desde, hace, desde hace**
País e cultura: El estanco

Lição 25	**Madrid de noche**	**213**
	Madri à noite	

Gramática: Presente do subjuntivo ▪ O modo subjuntivo depois de expressões de desejos e sentimentos ▪ **Si**
País e cultura: El flamenco

Lição 26	**¡Feliz cumpleaños!**	**221**
	Feliz aniversário!	

Gramática: Formas irregulares do subjuntivo ▪ O modo subjuntivo depois de expressões de dúvida e esperança ▪ O subjuntivo depois de expressões impessoais ▪ **Cuando** + subjuntivo
▪ Diferentes significados de **ser** e **estar**
País e cultura: Festividades

| Lição 27 | **50 euros por noche** | **231** |

50 euros por noite

Gramática: Subjuntivo de **dar** ■ Subjuntivo depois de conjunções específicas ■ Subjuntivo em orações relativas ■ Passado imediato com **acabar** + **de** + infinitivo ■ **¿Cuánto?**
País e cultura: Acomodações

| Lição 28 | **Una noche con los amigos** | **239** |

Uma noite com amigos

Gramática: Imperativo (afirmativo) ■ Pronomes e o imperativo afirmativo ■ Pronomes possessivos ■ **Tan** e **tanto**
País e cultura: Saindo com os amigos

| Lição 29 | **En la consulta** | **247** |

No consultório

Gramática: Formas irregulares do imperativo ■ Formas alternativas do imperativo ■ **Ir – venir** ■ Os acentos são importantes!
País e cultura: Ajuda médica

| Lição 30 | **La despedida** | **255** |

Despedida

Gramática: Imperativo (negativo) ■ Posição dos pronomes no imperativo negativo ■ Pronomes relativos **la que, el que, las que, los que, lo que** ■ Definindo posicionamentos
País e cultura: Partida e despedida

Respostas dos exercícios	**262**
Respostas dos testes	**273**
Vocabulário	**274**

Introdução

Espanhol em 30 dias é um curso autodidata que vai lhe proporcionar, em um curto período de tempo, conhecimentos básicos de espanhol.

Ele foi elaborado para criar familiaridade com as principais estruturas gramaticais do espanhol e oferecer um bom domínio do vocabulário da língua. Em 30 lições, você vai adquiri-los por meio de um aprendizado ativo e passivo, compreendendo a linguagem e tornando-se capaz de participar do dia a dia dos países cuja língua é o espanhol.

Cada uma das 30 lições segue o mesmo modelo: primeiro, um pequeno texto em espanhol – normalmente um diálogo –, depois, uma seção gramatical, seguida por exercícios que o ajudarão a consolidar o conhecimento já adquirido. Ao final de cada lição, você vai encontrar uma lista de vocabulário e pequenos textos com curiosidades sobre a vida na Espanha. Cada lição é um episódio da história e trata de situações típicas do cotidiano. Os testes, juntamente com as respostas dos exercícios no final do livro, capacitarão você para avaliar seu progresso.

O CD contém todos os diálogos em língua espanhola presentes no livro.

As lições de 1 a 10 são reproduzidas duas vezes: na primeira vez, de modo rápido e fluente, assim como se fala no dia a dia espanhol e, na segunda vez, mais devagar e de forma mais clara, para que você possa praticar e repetir as frases. A partir da Lição 11 você estará apto o suficiente para acompanhar o texto em espanhol, que agora será reproduzido apenas uma vez, no modo corrente da linguagem.

As autoras e os editores lhe desejam muito sucesso neste curso e esperam que você se divirta ao estudar.

Pronúncia da língua espanhola

As variações existentes entre o espanhol falado na Espanha e nos diversos países da América Latina não causam, em geral, problemas de compreensão.

CONSOANTES

Letras	Pronúncia aproximada	Exemplo
b	como em português *boneca*	**b**ueno
c	1. diante de **e** e **i** tem som de **th** de *thin* (na América Latina se pronuncia como em português)	**c**entro, **c**inco
	2. diante de **a**, **o** e **u**, como em português	**c**omo, **c**ama, **c**ura
ch	som forte como o **chê** dos gaúchos	mu**ch**o, **ch**ico
d	1. como em *dedo*, nunca o som **dji** de *dia*	**d**onde
	2. o **d** final normalmente é mudo ou tem um som de z, nunca é forte	Ma**d**ri**d**, uste**d**
g	1. como em português diante de **a**, **o** e **u**	nin**g**uno, **g**ato
	2. diante de **e** e **i** tem um som gutural como um **h** fortemente aspirado	ur**g**ente
h	como em português, é mudo	**h**ombre
j	tem sempre um som gutural como *house* em inglês	ba**j**o, **j**efe
l	evite o som de **ul** no fim de palavras	sa**l**, ma**l**
ll	na Espanha, sua pronúncia é do **lh** português *mulher*, mas há variações nos países latino-americanos (na Argentina e no Uruguai, tem som de **j**, em outras regiões é mais suave, como **y**e)	**ll**eno, **ll**amar
ñ	pronuncia-se igual ao **nh** do português: *senhor*	se**ñ**or, ni**ñ**o
qu	como *queijo* em português	**qu**eso, **qu**ince
r	1. como em português, possui um som suave no meio ou no fim de palavras como em *caro, mar*	ca**r**o, ma**r**
	2. no início de sílaba ou após **l**, **n** ou **s**, possui um som vibrante como *red* em inglês ou o **r** dos gaúchos	**r**ío, **r**osa al**r**ededor

rr	o **r** duplo possui sempre o som vibrante, como *red* em inglês ou o **r** dos gaúchos	a**rr**iba, ca**rr**o
s	como se fosse **ss** em português, como *posso* (evitar o **z** de *casa* em português)	**s**opa, mi**s**mo
t	como *televisão* em português (evitar o som "chiado" de **tchi**, como em *tia*)	sen**t**imien**t**o
v	som semelhante ao **b** em português, mais suave	**v**iejo, **v**ino
x	1. tem um som de **ss** no início de palavra	**x**erocopiar
	2. tem som de **ks** junto a vogais	é**x**ito
y	1. tanto na Espanha como na América Latina, existem variações mais suaves, como *yes* em inglês, ou mais fortes, como o **j** em português	**y**o, **y**erno
	2. tem som de *i* quando está no fim da palavra ou quando funciona como conjunção	**y**, vo**y**
z	na Espanha, como **th** do inglês e, em outros países, o som de **ss**	bra**z**o, **z**orro

As consoantes **f**, **k**, **m**, **n** e **p** pronunciam-se como em português: **f**ila, **k**ilo, **m**ano, **n**ota, **p**ato.

VOGAIS

Letras	Pronúncia aproximada	Exemplo
a	sempre tem som aberto, mesmo junto às consoantes **m** ou **n**	**A**na, m**a**ñ**a**na
e	sempre tem som fechado como em *você* e não tem som de **i** no fim da palavra	caf**é**, m**é**dico verd**e**
i	como em português	f**i**n
o	sempre tem som fechado como *avô* e não tem som de **u** no fim da palavra	b**o**lo tont**o**
u	como em português	**u**na

Nota

Algumas palavras em espanhol, principalmente os monossílabos, possuem mais de um significado, e o acento agudo é usado para fazer a distinção. Vejamos:

él (ele – pronome) e **el** (o – artigo)
tú (tu – pronome) e **tu** (teu – possessivo)
sí (sim – advérbio de afirmação) e **si** (se – conjunção)

Pronúncia do Alfabeto Espanhol

A	a	Ñ	ênhe
B	bê	O	ô
C	cê	P	pê
D	dê	Q	ku
E	ê	R	êrre
F	êfê	S	êsse
G	gê	T	tê
H	átche	U	u
I	i	V	ube
J	rôta	W	ube doble
K	ka	X	êkss
L	êle	Y	i griega
M	ême	Z	cêta
N	êne		

O alfabeto espanhol é parecido com o do português. Devemos acrescentar a letra **ñ**.

Até recentemente na Espanha, as letras **ch** e **ll** eram tratadas como letras independentes no alfabeto. Por isso, preste atenção ao usar listas de telefone ou dicionários antigos.

En el avión

Azafata: ¿Habla usted español?
Karen: Sí, un poco.
Azafata: ¿Qué toma usted?
Karen: Un café, por favor.
Azafata: ¿Con leche y azúcar?
Karen: Solo con leche, gracias …
¡Oh, perdón!
Pasajero: No es nada, no es nada …
Yo soy de Madrid.
Karen: ¡Ah, … usted es español!
Pasajero: Sí. ¿Viaja usted a España como turista?
Karen: No, no viajo como turista sino como
Au-pair por un año.
Pasajero: ¡Qué interesante! ¿A qué ciudad viaja usted?
Karen: A Madrid.

Lição 1 — Diálogo, gramática

> *Pasajero:* ¡Perdón! Yo soy José Pérez, soy profesor.
> *Karen:* Yo soy Karen Muller, soy enfermera.

No avião

Comissária de bordo: A Sra. fala espanhol?
Karen: Sim, um pouco.
Comissária de bordo: O que gostaria de beber?
Karen: Café, por favor.
Comissária de bordo: Com leite e açúcar?
Karen: Só leite, por favor...
Oh, me desculpe.
Passageiro: Tudo bem, não foi nada...
Sou de Madri.
Karen: Ah, ... O Sr. é espanhol!
Passageiro: Sim. Está viajando à Espanha como turista?
Karen: Não, não estou indo como turista, mas como *au-pair* por um ano.
Passageiro: Que interessante! Para que cidade está indo?
Karen: Para Madri.
Passageiro: Me desculpe! Sou José Pérez. Sou professor.
Karen: Sou Karen Muller. Sou enfermeira.

Verbos regulares com terminação em *-ar*

viaj**ar**	viajar		
viaj**o**	eu viajo	viaj**amos**	nós viajamos
viaj**as**	tu viajas	viaj**áis**	vós viajais
viaj**a**	ele, ela viaja	viaj**an**	eles viajam

Assim como em português, a terminação verbal especifica a pessoa (eu, tu...) e o tempo (aqui: presente). O infinitivo dos verbos em espanhol termina em *-ar*, *-er* ou *-ir*.

Gramática, exercício — Lição 1

Pronomes pessoais

(yo) viajo	eu viajo
(tú) viajas	tu viajas
(él, ella, usted) viaja	ele, ela viaja/o Sr. viaja
(nosotros, -as) viajamos	nós viajamos
(vosotros, -as) viajáis	vós viajais
(ellos, ellas, ustedes) viajan	eles, elas/os Srs. viajam

Nosotros, vosotros e **ellos** têm uma forma feminina que termina em **-as**. **Usted (Ud.)** e **ustedes (Uds.)** são pronomes de tratamento formais. **Tú** é informal, usado com amigos, crianças e parentes. Equivale a *você*, em português.

Vosotros/as não é usado no espanhol da América Latina, onde a 2ª pessoa do plural é expressa por **ustedes**, independentemente da formalidade. Tais pronomes são usados apenas para dar ênfase, contraste ou evitar confusão.

Preencha com a forma verbal correta.

Exercício 1

1. José (viajar) a Madrid.
2. Ella (tomar) café con leche.
3. Karen y José (hablar) español.
4. Usted (estudiar) francés.
5. Nosotros (hablar) italiano.
6. Tú (entrar) en el bar.
7. Ellas (tomar) el avión.

Ser

Soy José Pérez.	Sou José Pérez.
Eres profesor.	Você é professor.
Es domingo.	É domingo.
Somos españoles.	Somos espanhóis.
Sois simpáticos.	Vocês são simpáticos.
Son de Madrid.	Eles são de Madri.

Ser é usado para identificar pessoas e objetos com frases nominais e para descrever características naturais de uma pessoa ou objeto (mais na p. 30).

Lição 1 — Exercício, gramática

Exercício 2

Preencha com a forma correta do verbo **ser**.

1. Tú .... arquitecto.
2. José .... profesor.
3. Él .... italiano.
4. Pedro .... ingeniero.
5. Vosotras .... simpáticas.
6. Ellos .... españoles.
7. La leche .... blanca.

Frases simples

A estrutura das frases é muito similar ao português:
Yo soy de Madrid.   Sou de Madri.
Usted es americana.   A senhora é americana.

Perguntas e exclamações

Nas interrogações, o verbo precede o pronome:
¿Es Ud. de Boston?   O Sr. é de Boston?
¿Viaja Ud. a España?   A Sra. está indo para a Espanha?

■ Perguntas e exclamações começam e terminam com os sinais de pontuação (¿ ... ?) (¡ ... !).

Negações

A partícula de negação *no* sempre precede o verbo em Espanhol, como em português:
No viajo como turista.   Não viajo como turista.
No tomo café.   Não tomo café.

Exercício, vocabulário — Lição 1

Exercício 3

Coloque as sentenças do exercício 1 na forma negativa.

1. ....
2. ....
3. ....
4. ....
5. ....
6. ....
7. ....

Exercício 4

Passe para o espanhol:

Ele é de Barcelona. Ele é espanhol. Eu sou do Brasil. O Sr. está viajando como turista? A Sra. está viajando para a Espanha? O Sr. quer leite e açúcar? Não, só leite, obrigado. Sou Paco. Sou professor e estou aprendendo espanhol. Que interessante!

Vocabulário

a	a, para	con	com
adiós	adeus, tchau	de	de
América	América	día *m*	dia
americano, -a	americano, -a	domingo *m*	domingo
año *m*	ano	en	em
aquí	aqui	enfermera *f*	enfermeira
arquitecto *m*	arquiteto	entrar	entrar
avión *m*	avião	España *f*	Espanha
azafata *f*	comissário de bordo	español, -a	espanhol, -a
		estudiar	estudar
azúcar *m*	açúcar	gracias	obrigado, -a
bar *m*	bar	hablar	falar
blanco, -a	branco, -a	ingeniero *m*	engenheiro
Boston	Boston	inglés, -a	inglês, inglesa
café *m*	café	Inglaterra	Inglaterra
ciudad *f*	cidade	interesante	interessante
como	como	italiano, -a	italiano, -a

DIECINUEVE

leche *f*	leite	**ser**	ser
no es nada	tudo bem, não foi nada	**sí**	sim
		simpático, -a	simpático, -a
no	não	**sino**	mas, senão
país *m*	país	**solo**	só, somente
pasajero *m*	passageiro	**tomar**	tomar, beber
perdón	desculpe-me, perdão		
		turista *m/f*	turista
poco, -a	pouco, -a	**un**	um
por favor	por favor	**un poco**	um pouco
profesor *m*	professor	**un, -a**	um, -a
qué	que, qual	**usted**	o Sr., a Sra. (formal)
¡Qué interesante!	Que interessante!		
		viajar	viajar
¿Qué?	O quê?	**y**	e

Vocabulário adicional

Expressões úteis:

por favor	por favor	**de nada**	de nada
gracias	obrigado, -a	**no hay de que**	não há de quê
muchas gracias	muito obrigado, -a		

Tipos de café

Quando pedir um café, saiba que **nem todos os cafés são iguais!**

café solo	café preto, curto, forte (tipo expresso)
café con leche	xícara grande de leite com café, diferente do cafezinho com leite
café cortado	cafezinho com um pingo de leite
carajillo	expresso com gotas de conhaque

En el aeropuerto

LIÇÃO 2

En el control de pasaportes:
Policía: ¡Buenos días!
Karen: ¡Buenos días!
Policía: El pasaporte, por favor.
Karen: Sí, aquí.
Policía: Por aquí, por favor.

En la cinta de equipaje:
Pasajero: ¿Es todo su equipaje?
Karen: Una maleta grande y un bolso.
Pasajero: Es mucho. ¡Claro, para un año en Madrid!
Karen: Ah, sí... ¿Dónde está mi pasaporte? ¡No está en el bolso!... ¡Oh, sí, aquí está!
Pasajero: Señorita Muller, aquí está mi tarjeta.
Karen: Muchas gracias, Señor Pérez... ah, allí está mi maleta.
Pasajero: ¿Dónde está mi equipaje?
Karen: Allí está mi bolso.

> *Pasajero:* ¿Está completo su equipaje?
> *Karen:* Sí, ... ¿y su maleta?
> *Pasajero:* ¡Allí está!

No aeroporto

No controle de passaportes:
Policial: Bom dia!
Karen: Bom dia!
Policial: Seu passaporte, por favor.
Karen: Aqui está.
Policial: Por aqui, por favor.

Na esteira de bagagem:
Passageiro: Esta é toda sua bagagem?
Karen: Uma mala grande e uma bolsa.
Passageiro: É bastante. Claro, é para um ano em Madri.
Karen: Sim, ... Onde está meu passaporte? Não está em minha bolsa!... Ah, aqui está...!
Passageiro: Srta. Muller, aqui está meu cartão.
Karen: Muito obrigada, Sr. Pérez... Ah, aqui está minha mala.
Passageiro: Onde está minha bagagem?
Karen: Ali está minha bolsa.
Passageiro: Você está com toda a sua bagagem?
Karen: Sim ... e sua mala?
Passageiro: Está ali!

> ### Estar
>
> **Estoy** en Madrid.   Estou em Madri.
> **Estás** de viaje.   Estás viajando.
> **Está** enfermo, -a.   Está doente.
> **Estamos** listos.   Estamos prontos.
> **Estáis** tristes.   Estais tristes.
> **Están** aquí.   Estão aqui.
>
> Assim como no português, **estar**, diferente de **ser**, é usado para indicar um estado de algo ou alguém e para falar do clima/tempo (mais na p. 30).

Exercício, gramática Lição 2

Exercício 1

Preencha com a forma correta de *estar*.

1. ¿Dónde (estar) la azafata?
2. ¿Cómo (estar) Uds.?
3. ¿Dónde (estar) vosotros?
4. ¿Dónde (estar) ellos?
5. La maleta (estar) allí.
6. El café (estar) caliente.

Artigos e substantivos

artigos definidos

el pasajero o passageiro
los pasajeros os passageiros
la azafata a comissária de bordo
las azafatas as comissárias de bordo

artigos indefinidos

un libro um livro
unos libros uns livros
una tarjeta um cartão de visita
unas tarjetas uns cartões de visita

Há substantivos **masculinos** e **femininos** em espanhol. Substantivos masculinos geralmente terminam em **-o**, e femininos, em **-a**, assim como em português.

Exceções:
el día – o dia, *la mano* – a mão,
el/la turista – o/a turista

■ O artigo neutro *lo* é usado quando se formam substantivos a partir de adjetivos e em expressões:
lo bueno o bom; *a lo lejos* ao longe

Exercício 2

Preencha com as formas corretas de artigos e verbos.

1. Yo (tomar) . . . café con azúcar.
2. . . . avión (ser) grande.
3. . . . pasajero (ser) simpático.
4. . . . bolso (ser) grande.
5. . . . maletas (pesar) mucho.
6. ¿(Ser) Ud. . . . *Au-pair*?
7. España (ser) . . . país grande.
8. . . . señorita (saludar).

Lição 2　　　　　　　　　　　　　　　　　　　Gramática, exercício

Formação do plural

O plural dos substantivos é formado pela adição do **-s** a palavras que terminam em **vogal**
el café　　*los cafés*
la señorita　*las señoritas*

ou com **-es** quando a palavra termina em **consoante**:
el español　*los españoles*
la ciudad　*las ciudades*

Exercício 3

Passe para o plural.

el pasaporte
el equipaje
la maleta
la aduana
el diccionario

una azafata
un pasajero
una tarjeta
un bolso
un libro

Adjetivos

Assim como no português, a maioria dos adjetivos tem **duas terminações**: **-o**, quando usado com um substantivo masculino, e **-a**, quando usado com um substantivo feminino:
el pasajero simpático　　*la azafata española*

Adjetivos terminados em **-e, -l** e **-n** têm apenas **uma forma** para **ambos os gêneros**, por exemplo:
el cielo azul　　　　　*la maleta azul*
O plural é formado como nos substantivos, com o acréscimo de **-s** ou **-es**:
las maletas pequeñas　　*los libros azules*

■ O adjetivo concorda com o substantivo ao qual se refere em gênero e número.

Exercício, vocabulário — Lição 2

Exercício 4

Complete as terminações dos adjetivos.

1. Las manos están suci...
2. Los bolsos son grand...
3. Sois muy simpátic...
4. El libro es interesant...
5. La leche es blanc...
6. La azafata es amabl...

Exercício 5

Combine os adjetivos com os substantivos e adicione o artigo indefinido como em:
una azafata simpática

grande – simpático – dulce – pesado – rubio

...maleta...

...café...

...pasajero...

...aviones...

...aduanero...

Vocabulário

aduana f	alfândega
aduanero m	agente da alfândega
aeropuerto m	aeroporto
allí	ali
amable	amável, gentil
azul	azul
bolso m	bolsa
buenos días	bom dia
cielo m	céu
cinta f	fita cassete
cinta f **de equipaje**	esteira de bagagem
claro	é claro
completo, -a	completo, -a
control m	controle
control m **de pasaportes**	controle de passaportes
declarar	declarar
¿Dónde?	Onde?
dulce	doce
enfermo, -a	doente
equipaje m	bagagem
estar	estar
grande	grande
interesante	interessante
libro m	livro
listo, -a	pronto, -a
maleta f	mala
mano f	mão
mi	meu
mucho, -a	muito, -a
necesario, -a	necessário, -a
necesitar	precisar
para	para
pasaporte m	passaporte

Lição 2 — Vocabulário, país e cultura

pequeño, -a	pequeno, -a	su	seu (*formal*)
pesado,-a	pesado, -a	sucio, -a	sujo, -a
pesar	pesar	tarjeta *f*	cartão de visita
policía *m*	policial		
por aquí	por aqui	todo	tudo
ropa *f*	roupa	triste	triste
rubio, -a	loiro, -a	viaje *m*	viagem
saludar	saudar, cumprimentar		

Vocabulário adicional

Encontros e cumprimentos em espanhol:

¡Hola!	Olá!
Hola, ¿qué tal?	Olá, como vai?
Hola, ¿qué hay?	Olá, tudo bem?
¡Buenos días!	Bom dia! (até o meio-dia)
¡Buenas tardes!	Boa tarde! (até as oito da noite)
¡Buenas noches!	Boa noite! (depois do jantar)

¿Señorita? ¿Señorito?

O termo **señorita** é usado frequentemente em espanhol, o que não acontece em português. **Señorita** é usado como cumprimento educado para mulheres não casadas, jovens ou mais velhas, e pode ser um termo padrão para professoras. A garçonete também pode ser chamada de **señorita**. O masculino **señorito**, por sua vez, se refere mais ao filho homem de ricos fazendeiros da Andaluzia, região ao sul da Espanha, e tem, em geral, uma conotação negativa de "garoto mimado".

Ir a la ciudad

Pasajero: ¿Cómo va al centro?
Karen: Voy en taxi, es cómodo y práctico, ¿y Ud.?
Pasajero: Voy en autobús hasta la Plaza de Colón, que está en el centro y luego en metro.
Karen: Bueno, Sr. Pérez, hasta otro día.
Pasajero: Adiós, Srta. Muller, mucha suerte con la familia.
Karen: Gracias, adiós.

Karen va a la Oficina de Información.
Karen: Por favor, ¿dónde tomo el taxi para el centro?
Empleada: Allí por la puerta grande a la izquierda y luego a la derecha.
Karen: ¿Está lejos?
Empleada: No, está cerca.
Karen: Muchas gracias.
Empleada: De nada.

> Karen toma un taxi al centro.
> Karen: Al centro, por favor.
> Taxista: Sí, señorita, ¿Adónde va Ud. exactamente?
> Karen: Aquí está la dirección. Es Paseo de la Castellana nº 6.
> Taxista: Está bien.
> Karen: Hay mucho tráfico por aquí.
> Taxista: Ahora estamos en el Paseo de la Castellana.
> Karen: ¿Cuánto es?
> Taxista: Son 25 euros.
> Karen: Es barato.
> Karen paga.
> Karen: Gracias, adiós.

Ir à cidade

Passageiro: Como vai até a cidade?
Karen: Vou pegar um táxi; é confortável e prático. E o Sr.?
Passageiro: Vou de ônibus até a Plaza de Colón, que é no centro da cidade, e depois vou de metrô.
Karen: Bem, Sr. Pérez, até outro dia.
Passageiro: Adeus, Sra. Muller, boa sorte com a família.
Karen: Obrigada, adeus.

Karen vai para a central de informações.
Karen: Onde posso pegar um táxi para o centro da cidade, por favor?
Funcionária: Ali pela porta grande à esquerda e depois à direita.
Karen: É longe?
Funcionária: Não, é perto.
Karen: Muito obrigada.
Funcionária: Não há de quê.

Diálogo, gramática, exercício — Lição 3

Karen pega um táxi para a cidade.
Karen: Para o centro da cidade, por favor.
Taxista: Sim, senhora. Onde exatamente a Sra. quer ir?
Karen: Aqui está o endereço. É Paseo de la Castellana nº 6.
Taxista: Muito bem.
Karen: Há muito trânsito aqui.
Taxista: Estamos agora no Paseo de la Castellana.
Karen: Quanto é?
Taxista: São 25 euros.
Karen: É barato.
Karen paga.
Karen: Obrigada, até logo.

Ir (também com sentido de *dirigir*)

voy	Eu vou	**vamos**	vamos
vas	tu vais	**vais**	vós ides
va	ele/ela vai, você (*tratamento informal*) vai o Sr., a Sra. (*tratamento formal*) vai.	**van**	eles vão, vocês (*tratamento informal*) vão os Srs., as Sras. (*tratamento formal*) vão.

Observe:
*Voy **a** pie.* = Vou a pé.

mas:
*Voy **en** coche.* = Vou de carro.

Preencha usando a forma correta de *ir*.

Exercício 1

1. (Yo) . . . a casa.
2. (Nosotros) . . . a la Plaza de Colón.
3. El coche . . . a la derecha.
4. ¿ . . . *ustedes* a Inglaterra?
5. Hoy *(nosotros)* . . . a la playa.

Lição 3 — Gramática, exercício

Ser e estar

Ser é usado para expressar horários e números (horas, dias, quantidades), ou sobre o passado ou a profissão de alguém.

Es la una de la tarde.	É uma hora da tarde.
Soy ingeniero.	Sou engenheiro.
Hoy **es** lunes.	Hoje é segunda-feira.

Estar é usado para descrever algo **temporário** ou **transitório**, como uma localização ou condição do tempo.

Está en la calle.	Ele está na rua.
Está enfermo.	Ele está doente.

Observe os significados diferentes, similares ao português:

La puerta **es** grande.	La puerta **está** abierta.
A porta é grande.	A porta está aberta.
Karen **es** de Boston.	Karen **está** en Madrid.
Karen é de Boston.	Karen está em Madri.

■ O verbo **ser** vem antes de um substantivo!
Karen **es** enfermera. José **es** profesor.

Exercício 2

Ser ou **estar?**

Karen Muller ... enfermera.
Ella ... de Estados Unidos. ... americana.
... de Boston, pero ... en Madrid con una familia.
La familia García ... simpática. La Sra. García ... madrileña. Los niños ... en casa. Ellos ... niños cariñosos.

Exercício 3

Ser ou **estar?**

1. ¿De dónde... Uds.?

... de Madrid.

2. Tú ... de Barcelona, ¿verdad?

Sí, (yo) ... de Barcelona.

Exercício, gramática — Lição 3

3. ¿Dónde ... Juan?

El ... en Granada.

Hay

A forma verbal impessoal **hay** significa "há".
hay mucho tráfico — há muito trânsito
hay dos personas — há duas pessoas

■ **Hay** nunca varia, é igual no singular e no plural.

Posição do adjetivo

Os adjetivos podem ser colocados **antes** e **depois** do substantivo. É mais comum que o adjetivo venha depois do substantivo, como em português.
*la puerta **grande*** — a porta grande

Quando precede o substantivo, expressa valoração;
*la **famosa** cerveza* — a famosa cerveja (valorizando)
*la cerveza **famosa*** — (afirmação neutra de que a cerveja é famosa).

■ Numerais e quantidades vêm antes do substantivo:
*hay **mucho** tráfico*
*son **tres** personas*

Exercício 4

Posicione os adjetivos no lugar correto antes ou depois do substantivo.

gente/mucha; la lengua/francesa; los turistas/franceses; ruido/tanto; hoteles/buenos; la semana/última; azafatas/pocas; pasajeros/tres

Lição 3   Exercício, gramática

Exercício 5

Você percebeu que a preposição *a* combina com *ir* para especificar a direção (onde alguém está indo) enquanto *en* é usado para descrever os meios de transportes? Escolha entre: ¿*Vamos en...?* ou ¿*Vamos a...?*

		autobús
		Granada
Vamos	en	tren
	a	barco
		avión
		Madrid

Exercício 6

Passe para o espanhol:

Karen pega sua bagagem e vai ao centro da cidade. São 25 euros.
Karen paga. No Paseo de la Castellana nº 6 ela desce (bajar). Há muitas pessoas no centro. Aqui está o endereço. Onde está a casa?

Números cardinais de 0 a 30

0 cero	11 once	22 veintidós
1 uno	12 doce	23 veintitrés
2 dos	13 trece	24 veinticuatro
3 tres	14 catorce	25 veinticinco
4 cuatro	15 quince	26 veintiséis
5 cinco	16 dieciséis	27 veintisiete
6 seis	17 diecisiete	28 veintiocho
7 siete	18 dieciocho	29 veintinueve
8 ocho	19 diecinueve	30 treinta
9 nueve	20 veinte	
10 diez	21 veintiuno	

Vocabulário

¿Adónde?	Onde?	famoso, -a	famoso, -a
a la derecha	à direita	gente *f*	gente
a la izquierda	à esquerda	hasta	até
ahora	agora	hasta otro día	até outro dia,
autobús *m*	ônibus		até mais
bajar	descer	hay	há
barato, -a	barato, -a	hotel *m*	hotel
barco *m*	barco	hoy	hoje
bueno, -a	bom, boa	Inglaterra *f*	Inglaterra
calle *f*	rua	ir	ir, dirigir
cariñoso, -a	carinhoso, -a	izquierda	esquerda
casa *f*	casa	jerez *m*	xerez
centro *m*	centro da cidade	lejos	longe
		lengua *f*	linguagem
cerca	perto	luego	logo
cerveza *f*	cerveja	lunes *m*	segunda-feira
ciudad *f*	cidade	madrileño, -a	habitante de Madri, algo de Madri
coche *m*	carro		
¿Cómo?	Como?		
cómodo, -a	confortável	metro *m*	metrô
cuánto, -a	quanto	niña *f*	menina
¿Cuánto es?	Quanto custa?	niño *m*	menino
¿De dónde?	onde?	niños *m pl*	meninos, crianças
derecha	direita		
dirección *f*	endereço	nuestro, -a	nosso, -a
donde	onde	oficina *f*	escritório
empleada *f*	funcionária	oficina *f* de información	central de informações
enfermo, -a	doente		
está bien	tudo bem	otro, -a	outro, -a
Estados Unidos	Estados Unidos	pagar	pagar
euro *m*	euro (€)	para	para
exactamente	exatamente	pero	mas
excelente	excelente	persona *f*	pessoa
extranjera *f*	estrangeira	pie *m*	pé
extranjero *m*	estrangeiro	playa *f*	praia
fabricar	fabricar	plaza *f*	praça
familia *f*	família	por	por

Lição 3 — Vocabulário, país e cultura

práctico, -a	prático, -a	taxi *m*	táxi
puerta *f*	porta	tráfico *m*	trânsito
ruido *m*	barulho	tren *m*	trem
semana *f*	semana	último, -a	último, -a
suerte *f*	sorte	verdad *f*	verdade
tanto, -a	tanto, -a	¿Verdad?	Sério?
tarde *f*	tarde	vino *m*	vinho

Vocabulário adicional

Várias formas de dizer adeus:

¡Hasta mañana! Até amanhã!
¡Hasta el domingo! Até domingo!
¡Hasta luego! Até logo!
¡Hasta pronto! Até breve!
¡Hasta la vista! Até a vista!
¡Buenas noches! Boa noite!

Pegando táxis

O adesivo **SP** na frente e atrás de táxis significa "**Servicio Público**".

Aconselha-se tomar apenas os táxis que estejam claramente identificados assim. Tarifas excessivas cobradas por taxistas privados podem estragar suas férias antes mesmo de começarem.

Uma taxa extra para corridas para/e do aeroporto, entretanto, é considerada normal.

Quanto à gorjeta para os taxistas, simplesmente arredonde para cima a tarifa cobrada pelo motorista.

Encuentro con la familia

4

Karen toca el timbre, la Sra. Carmen García abre la puerta.
Karen: Buenas tardes, señora, yo soy Karen Muller.
Carmen: Bienvenida, señorita Karen. Mucho gusto. Yo soy Carmen de García.
Karen: Encantada, Sra. de García.
Carmen: ¿Está cansada?
Karen: Sí, un poco.
Carmen: Oh, aquí está mi marido, Pedro García.
Pedro: Encantado, bienvenida a nuestra casa.
Karen: Mucho gusto, Sr. García.
Carmen: Aquí está Lucía.
Lucía: ¡Hola, Karen!
Karen: Encantada ... y ¿quién eres tú?

Lição 4 — Diálogo

> *David:* Soy David.
> *Karen:* ¡Qué alto eres!
> *David:* Lucía es más alta que yo. Y papá es el más alto.
> *Carmen:* ¿Toma un café con nosotros?
> *Karen:* Gracias, con gusto.
> *David:* Mamá, la señorita Karen es muy amable.

Encontro com a família

Karen toca a campainha, Sra. Carmen de García abre a porta.
Karen: Boa-tarde, sou Karen Muller.
Carmen: Bem-vinda, Karen. Prazer em conhecê-la. Sou Carmen de García.
Karen: Muito prazer, Sra. de García.
Carmen: Está cansada?
Karen: Sim, um pouco.
Carmen: Oh, este é meu marido, Pedro García.
Pedro: Prazer em conhecê-la, bem-vinda a nossa casa.
Karen: É um prazer conhecê-lo, Sr. García.
Carmen: Esta é a Lucía.
Lucía: Oi, Karen.
Karen: Prazer em conhecê-la... e você, quem é?
David: Sou David.
Karen: Como você é alto!
David: Lucía é mais alta do que eu, e papai é o mais alto de todos.
Carmen: Você tomaria um café conosco?
Karen: Obrigada, vou adorar.
David: Mamãe, a Srta. Karen é muito simpática.

> O tratamento entre o casal espanhol e Karen é formal. Isto é, eles se tratam por *usted*. Como, no Brasil, o tratamento mais comum de uma senhora com uma estudante é informal (*você*), nas traduções dos diálogos se optou por esse tratamento. Mas, não se deve confundir: em espanhol, *usted* equivale a *o Sr.*, *a Sra.*, *a Srta.*, e *tú* equivale a *você*.
>
> O tratamento de Karen com os filhos de Carmen é informal, o que justifica o uso de *tú*.

Gramática, exercício — Lição 4

Verbos regulares com a terminação em -ir

abrir

Abro la puerta.	Eu abro a porta.
Abres una botella.	Tu abres uma garrafa.
Abre el libro.	Ele/ela/você/o Sr./a Sra. abre o livro.
abrimos	nós abrimos
abrís	vós abris
abren	eles/vocês/os Srs./as Sras. abrem

Exercício 1

Preencha com as formas verbais.

	vosotros	usted	tú	ellas
1. hablar				
2. escribir				
3. ser				
4. bailar				
5. abrir				

A forma impessoal: se habla

se + 3ª pessoa do singular ou **plural** (dependendo do objeto) = **-se** (pronome reflexivo)

se habla español
fala-se espanhol

¿Qué lenguas se hablan en España?
Que línguas se falam na Espanha? ou
Que línguas são faladas na Espanha?

Exercício 2

Forme sentenças na forma impessoal.

1. En España (hablar) español.
2. El flamenco (bailar) en Andalucía.
3. La puerta (abrir) automáticamente.
4. En el centro de Madrid (tomar) el metro.

TREINTA Y SIETE 37

Gramática, exercício

Pronomes possessivos

singular		plural	
mi libro	meu livro	**mis** libros	meus livros
tu padre	teu pai	**tus** padres	teus pais
su coche	seu (*formal*) carro	**sus** coches	seus (*formal*) carros
nuestro, -a	nosso, -a	**nuestros, -as**	nossos, -as
vuestro, -a	vosso, -a	**vuestros, -as**	vossos, -as
su maleta	sua mala (*formal*)	**sus** maletas	suas malas, (*formal*)

■ O pronome possessivo sempre **precede** o substantivo.

Se não ficar claro a quem se refere **su**, pode-se usar **de** + pronome possessivo/substantivo:

su coche: el coche **de mi hermano**	o carro de meu irmão
su coche: el coche **de Ud.**	o carro do senhor (*formal*)

Exercício 3

Complete com os pronomes possessivos.

1. (Tú) maleta es nueva.
2. (Nosotros) padres están de viaje.
3. El coche es de (yo) abuelo.
4. (Ud.) amigo es amable.
5. Hablo con (vosotros) hermanos.
6. (Vosotros) casa es más grande que (nosotros) chalet.
7. Aquí están (Uds.) llaves.
8. ¿Jugáis con (nosotros) amigos?

Comparativo e superlativo

más/menos + adjetivo + **que** = mais/menos ... que
*Lucía es **más alta que** David.* = Lúcia é mais alta que David.
*La maleta es **menos bonita que** el bolso.* = A mala é menos bonita que a bolsa.

tan + adjetivo + **como** = tão ... quanto
*Carmen es **tan alta como** Karen.* = Carmen é tão alta quanto Karen.

el/la/lo más + adjetivo = o/a mais
*Papá es **el más alto**.* = Papai é o mais alto.

adjetivo + **-ísimo/s, -ísima/s** = superlativo absoluto
*El monte es **altísimo**.* = A elevação é altíssima.
*La cucaracha es **pequeñísima**.* = A barata é pequeníssima.

más de precede **números** e **horários**
*Tengo **más de veinte** euros.* = Tenho mais de 20 euros.

■ **no más que** antes de números = **apenas, só**
*No quedan **más que** tres alumnos.* = Ficaram **apenas** três alunos.

Formas comparativas/superlativas irregulares

bueno,-a	**mejor**	**el/la mejor**	bom/boa	o/a melhor
malo,-a	**peor**	**el/la peor**	mau/má	o/a pior
grande	**mayor**	**el/la mayor**	grande	o/a maior
pequeño,-a	**menor**	**el/la menor**	pequeno,-a	o/a menor

Lição 4 — Exercício, gramática

Exercício 4

Complete com as formas corretas do comparativo.

1. La tierra es ... grande ... la luna.
2. Los Alpes son ... altos ... los Pirineos.
3. La Plaza de España es ... moderna ... la Plaza de Colón.
4. Las películas alemanas son buenas, pero las francesas son ... de todas.
5. El Retiro es ... parque ... famoso de Madrid.

Artigo definido com señor e señora

La señora García abre la puerta.
El señor López no está en casa.
¿Dónde vive **la señorita** Ramírez?
Observe: ¡Buenos días señorita García!

O artigo definido antecede **señor, señora** etc., exceto quando dirigir-se a alguém.

Exercício 5

Escreva por extenso os seguintes números em espanhol.

14, 29, 15, 9, 1, 4, 25, 21, 19, 30

Exercício 6

Complete as sentenças.

1. La hija de mi marido es mi ...
2. El padre de mi hija es mi ...
3. Mi hija es la ... de mi madre.
4. Mi hijo y mi hija son mis ...
5. Mi madre es la ... de mi marido.
6. La mujer de mi hermano es mi ...

Vocabulário — Lição 4

abrir	abrir	**luna** *f*	lua
Alpes *m pl*	os Alpes	**malo, -a**	mau, má
alto, -a	alto, -a	**marido** *m*	marido
alumno, -a	aluno, -a	**más**	mais
amigo, -a	amigo, -a	**mi**	meu, minha
Andalucía *f*	Andaluzia	**moderno, -a**	moderno, -a
automáticamente	automaticamente	**monte** *m*	elevação, monte
bailar	dançar	**mucho, -a**	muito, -a
bicicleta *f*	bicicleta	**mucho gusto**	prazer em conhecê-lo, -a
bienvenido, -a	bem-vindo, -a	**muy**	muito
bonito, -a	bonito, -a, belo, -a	**nombre** *m*	nome
		nuestro, -a	nosso, -a
botella *f*	garrafa	**nuevo, -a**	novo, -a
cansado, -a	cansado, -a	**parque** *m*	parque
chalet *m*	casa de campo	**película** *f*	filme
		Pirineos *m pl*	os Pireneus
con gusto	com prazer	**puerta** *f*	porta
cucaracha *f*	barata	**quedar**	ficar
difícil	difícil	**¿Quién?**	Quem?
encantado, -a	muito prazer	**tierra** *f*	terra
encuentro *m*	encontro	**timbre** *m*	campainha
escribir	escrever	**tocar**	tocar
fácil	fácil	**tocar el timbre**	tocar a campainha
jugar	jogar, brincar		
lengua *f*	língua	**vivir**	viver
llave *f*	chave		

A família

familia *f*	família	**hija** *f*	filha
padre *m*	pai	**hijos** *m pl*	filhos
madre *f*	mãe	**hermano** *m*	irmão
padres *m pl*	pais	**hermana** *f*	irmã
hijo *m*	filho	**abuelo** *m*	avô

Lição 4 — Vocabulário, país e cultura

abuela f	avó	**prima** f	prima
abuelos m pl	avós	**suegro** m	sogro
mujer f	mulher	**suegra** f	sogra
esposa f	esposa	**cuñado** m	cunhado
marido m	marido	**cuñada** f	cunhada
esposo m	esposo	**nieto** m	neto
tío m	tio	**nieta** f	neta
tía f	tia	**nietos** m pl	netos
tíos m pl	tios	**sobrino** m	sobrinho
primo m	primo	**sobrina** f	sobrinha

Nomes espanhóis

Na Espanha, mulheres casadas mantêm seus sobrenomes, sendo o primeiro o do pai e o segundo o da mãe. Da mesma forma, as crianças herdarão o primeiro sobrenome do pai como primeiro sobrenome e o primeiro sobrenome da mãe como segundo sobrenome.

p. ex. Carmen Galván Torres se casa com José García Ginestar. O nome de sua filha será: Lucía García Galván. Quando Carmen é chamada de Sra. de García, o "de" não é um título de nobreza, mas simplesmente indica que Carmen é esposa do Sr. García.

As formas de tratamento "**Don**" e/ou "**Doña**" são usadas para expressar respeito quando nos dirigimos a uma pessoa mais velha ou a alguém com autoridade, como em Don Alfonso e Doña María.

En casa

5

Carmen: Nuestro piso es grande. Tiene tres dormitorios, una cocina, una sala de estar y comer, dos baños, un aseo y un vestíbulo. Aquí en España las cocinas son más grandes porque a veces comemos en ellas ...
¿Viene? Esta es su habitación, entra el sol por la mañana. Y aquéllo es su baño.
Karen: ¡Qué guay! Es todo bastante grande.
Carmen: El barrio en que vivimos es tranquilo. Estamos cerca de la Plaza de Colón y de la estación del metro.
Karen: ¿Está lejos el Parque del Retiro?
Carmen: No, en absoluto. Hay también un autobús que pasa por la puerta de casa.

Karen: ¡Qué bien! y la parada ¿dónde está?
Carmen: Allí enfrente. En la esquina.

Lição 5 — Diálogo

> *Lucía entra en la habitación de Karen con su conejo.*
> **Lucía:** ¡Mira, Karen! Es mi conejo Nicolás.
> **Karen:** ¡Ah, un conejo! ¡Qué mono!
> **Lucía:** Nicolás come pan, zanahorias, pero también come las cosas.
> **Karen:** ¡Mira, Lucía!
>
> *Karen saca algo de su bolso.*
> **Lucía:** ¡Oh, qué bonito!, un oso de felpa.
> **Karen:** Es Franz, es mi mascota.
> **Lucía:** ¿Es Franz un nombre alemán?
> **Karen:** Sí, como Francisco en español.
> **Lucía:** ¿Me regalas el oso el día de mi santo?
> **Karen:** A ver.
> **Carmen:** Karen, ¿está contenta con su habitación?
> **Karen:** Sí ...

Em casa

Carmen: Nosso apartamento é grande. Tem três quartos, uma cozinha, uma sala de estar e uma sala de jantar, dois banheiros, um lavabo e um vestíbulo. Aqui na Espanha as cozinhas são maiores porque às vezes nós almoçamos nelas.
Venha! Este é seu quarto. Entra o sol pela manhã. E lá é o banheiro.

Karen: Uau, que ótimo! É realmente espaçoso.

Carmen: O bairro em que vivemos é tranquilo. Estamos perto da Plaza de Colón e da estação de metrô.

Karen: O Parque do Retiro fica longe daqui?

Carmen: Não, de jeito algum. Há também um ônibus que passa bem em frente à nossa casa.

Karen: Que bom! E o ponto do ônibus? Onde é?

Carmen: Logo ali do outro lado. Na esquina.

Lucía entra no quarto de Karen com seu coelho.
Lucía: Olhe, Karen! Este é meu coelho Nicolás.
Karen: Um coelho! Que bonito!
Lucía: Nicolás come pão, cenouras, mas também come outras coisas.

Diálogo, gramática — Lição 5

Karen: Olhe só, Lucía!
Karen tira algo de sua bolsa.
Lucía: Que lindo! Um ursinho de pelúcia.
Karen: Este é o Franz, meu mascote.
Lucía: Franz é um nome alemão?
Karen: Sim, é como Francisco em espanhol.
Lucía: Você me dá o ursinho de presente no meu aniversário?
Karen: Vamos ver.
Carmen: Karen, você gostou do quarto?
Karen: Sim ...

Verbos regulares com a terminação em -er

comer	comer
Com**o** pan.	Eu como pão.
com**es**	tu comes
com**e**	ele, ela come, você (*informal*) come, o Sr., a Sra. (*formal*) come
com**emos**	nós comemos
com**éis**	vós comeis
com**en**	eles, vocês (*informal*) comem, os Srs., as Sras. (*formal*) comem

Verbos irregulares

tener	ter	**venir**	vir
tengo	eu tenho	**vengo**	eu venho
ti**e**nes	tu tens	vi**e**nes	tu vens
ti**e**ne	ele, ela tem	vi**e**ne	ele, ela vem
tenemos	nós temos	venimos	nós vimos
tenéis	vós tendes	venís	vós vindes
ti**e**nen	eles têm	vi**e**nen	eles vêm

■ Alguns verbos irregulares ganham um **-g** na 1ª pessoa do singular.

Lição 5 — Gramática, exercício

> **Tengo 30 años.** — Tenho 30 anos.
> **Tienen frío.** — Eles têm frio.
> **Tenemos sueño.** — Estamos com sono.
>
> **tener que + infinitivo** — ter que, dever
> **Tengo que ir a casa.** — Tenho que ir para casa.

Exercício 1

Escolha entre *ser, estar, tener* ou *hay*.

1. El cielo ... azul.
2. En el cielo ... nubes.
3. En el bar ... 10 personas.
4. La familia ... en el bar.
5. Madrid ... en el centro del país.
6. David ... 7 años.
7. Ellos ... en Madrid.
8. Carmen ... de España.
9. Ella ... un coche negro.
10. Pedro ... en casa.
11. La casa ... cerca de la plaza.
12. ... muchas rebajas ahora.

Hay e estar

Hay expressa se algo existe; **estar** especifica **onde** algo está localizado:
En la mesa hay un periódico. — Na mesa há um jornal.
El periódico está en la mesa. — O jornal está na mesa.

Exercício, gramática — Lição 5

Exercício 2

***Hay* ou *estar*?**

1. ... muchas personas en el teatro.
2. El parque ... a dos kilómetros de aquí.
3. Junto al río ... una carretera.
4. La parada ... enfrente de la puerta.
5. En la habitación ... un conejo.
6. El oso de felpa ... en el bolso.
7. ¿... lejos el parque?
8. ¿Dónde ... una estación de metro?
9. ¿Dónde ... la cocina?
10. ... poca gente en la calle.

Combinando *de*/*a* + o artigo definido *el*

de + el = del
 la parada **del** autobús   o ponto de ônibus
 (local onde o ônibus para)
a + el = al
 Vamos **al** cine.   Vamos ao cinema.

Exercício 3

Selecione: *el, los, un, una, unos, unas, del* ou *al*.

1. En la plaza hay ... casa.
2. Vaya ... dormitorio.
3. ... conejos son roedores.
4. No van ... cine sino ... teatro.
5. ... profesor es ... hombre amable.
6. ... bolso ... aduanero es pesado.
7. En el avión hay ... azafatas.
8. ... chicos ... instituto van a Madrid.

Lição 5 — Exercício

Exercício 4

Que traduções estão incorretas?

1. de nada
   a para nada
   b de nada

2. mucho gusto
   a o prazer é meu
   b muito gostoso

3. muy encantado
   a tudo de bom
   b prazer em conhecê-lo

4. qué bien
   a que bom
   b obrigado

5. muchas gracias
   a tudo de bom
   b muito obrigado

6. hasta la vista
   a até mais
   b boa noite

Exercício 5

Você está procurando um apartamento e vê o seguinte anúncio.

Se Alquila
Madrid, Ventas. Habitación amueblada, confortable y soleada con ducha, ascensor, teléfono, calefacción, 35 m², 300 euros/mes. Tel. 425 08 24.

Escolha que respostas estão certas e quais estão erradas.

	Sí	No
1. Es una habitación con baño		
2. Tiene 35 m²		
3. No tiene calefacción		
4. Tiene ascensor		
5. No tiene muebles		
6. Tienes que pagar 300 euros/mes		
7. No tiene ventanas		

Exercício, vocabulário Lição 5

Complete com as formas verbais corretas.

1. ¿(tomar Uds.) mucha cerveza?
2. ¿(comer vosotros) en casa?
3. ¿(beber tú) vino?
4. (vivir nosotros) en una calle tranquila.
5. (tener yo) sed.
6. El autobús (pasar) por la puerta.
7. (abrir Ud.) la ventana.
8. (Ella hablar) mucho.

Exercício 6

Vocabulário

a veces	às vezes	cosa *f*	coisa
a ver	vamos ver	día *m* del santo	dia do aniversário
algo	algo		
alquilar	alugar	dormitorio *m*	quarto
amueblado, -a	mobiliado, -a	ducha *f*	chuveiro
aquello	aquilo	en absoluto	de modo algum
ascensor *m*	elevador	enfrente	do lado oposto
aseo *m*	banheiro	entrar	entrar
azul	azul	esquina *f*	esquina
baño *m*	banheiro	estación *f* del metro	estação de metrô
barrio *m*	bairro		
bastante	bastante	frío *m*	frio
beber	beber	¡Guay! *(col.)*	Ótimo!
bonito, -a	bonito, -a	habitación *f*	quarto
calefacción *f*	calefação, aquecimento	hambre *f*	fome
		instituto *m*	instituto
carretera *f*	estrada	junto, -a	perto
chico *m*	menino	kilómetro *m*	quilômetro
cine *m*	cinema	mañana *f*	manhã, amanhã
cocina *f*	cozinha		
comedor	sala de jantar	mascota *f*	mascote
comer	comer	mes *m*	mês
conejo *m*	coelho	mesa *f*	mesa
confortable	confortável	mirar	olhar
contento, -a	contente	mono, -a	bonito, -a

▶

CUARENTA Y NUEVE **49**

mueble m	móvel	**sala de estar**	sala de estar
negro, -a	preto, -a	**sed** f	sede
nube f	nuvem	**sol** m	sol
oso m	urso	**soleado, -a**	ensolarado, -a
oso m **de felpa**	urso de pelúcia	**sueño** m	sono
		también	também, assim como
pan m	pão		
parada f	ponto de ônibus	**teatro** m	teatro
		teléfono m	telefone
pasar	passar	**tener**	ter
periódico m	jornal	**tranquilo, -a**	tranquilo, -a
piso m	apartamento	**venir**	vir
rebaja f	desconto	**ventana** f	janela
regalar	presentear	**ver**	ver
río m	rio	**vestíbulo** m	vestíbulo
roedor m	roedor	**zanahoria** f	cenoura
sacar	tirar, sacar		

Prédios de apartamentos na Espanha

Se você for convidado a ir ao apartamento de alguém na Espanha, não encontrará o nome do morador na entrada principal do edifício. Tudo o que você verá é uma lista dos números dos apartamentos naquele prédio. O mesmo número também será usado se alguém lhe der o endereço, por exemplo, Calle Alonso 6, 4º dcha A, significa que a pessoa vive no número 6 da Rua Alonso, 4º andar no apartamento A à direita.

La vida familiar

Carmen: Hoy me quedo en casa. Pasamos todo el día juntas, cocinamos ...
Karen: Pero si no sé ...
Carmen: ¡No importa! Ya nos arreglamos. Tiene que trabajar en casa todos los días hasta las dos de la tarde. Luego puede ir a sus clases de español.
Karen: Muy bien.
Carmen: Por la mañana nos levantamos a las 7.00, solemos desayunar a las 7.30, a las 8.00 los niños van al colegio. Yo luego me voy al trabajo.
Karen: ¿Dónde trabaja Ud.?
Carmen: Trabajo en una agencia de viajes.
Karen: ¿Su marido no se va de casa?

Carmen:	Depende... Como es pintor necesita inspiraciones para poder trabajar.
Karen:	¡Ah, comprendo!
Carmen:	Para pintar va al estudio. Hay también mañanas cuando va de paseo.
Karen:	¿Qué trabajo tengo por las mañanas?
Carmen:	Ud. tiene que preparar el desayuno para toda la familia. Después hay que arreglar las camas, ir de compras y preparar el almuerzo para todos. No queda tiempo para aburrirse. En su tiempo libre puede mirar la tele, leer libros, escuchar música...
Karen:	Y ¿qué tengo que comprar?
Carmen:	No es un problema. Aquí está la lista.
Karen:	¡Es mucho!
Carmen:	Bueno, darle tiempo al tiempo.

A vida familiar

Carmen:	Vou ficar em casa hoje. Vamos passar o dia todo juntas, cozinhar...
Karen:	Mas eu não sei...
Carmen:	Não faz mal! Damos um jeito. Você terá de fazer o trabalho de casa todo dia até as duas da tarde. E depois você pode ir para suas aulas de espanhol.
Karen:	Bom.
Carmen:	De manhã nos levantamos às sete horas, costumamos tomar café às 7h30, às oito horas as crianças vão à escola. E logo depois vou para o trabalho.
Karen:	Onde a sra. trabalha?
Carmen:	Trabalho em uma agência de viagens.
Karen:	Seu marido não sai de casa?
Carmen:	Depende... Como ele é pintor, precisa de inspiração para poder trabalhar.
Karen:	Ah, entendo!

Diálogo, país e cultura — Lição 6

Carmen: Ele vai ao estúdio para pintar. Mas às vezes também sai para dar um passeio.
Karen: Que trabalho tenho pela manhã?
Carmen: Você tem de preparar o café da manhã para toda a família. Depois tem de arrumar as camas, fazer compras e preparar o almoço para todos. Não sobra tempo de ficar entediada. Em seu tempo livre você pode ver TV, ler livros, ouvir música...
Karen: E o que tenho de comprar?
Carmen: Não é um problema. Aqui está a lista.
Karen: É muita coisa!
Carmen: Bem, dê tempo ao tempo!

Hábitos alimentares

En España se desayuna entre las 7.00 y las 9.00 de la mañana. El desayuno es muy flojo. Se suele tomar café con leche, tostadas, magdalenas y mermelada.

El almuerzo o la comida se toma entre las 2.00 y las 3.00 de la tarde. Se suelen comer tres platos: uno de verduras o arroz, luego un plato de carne o pescado y el postre, que es de fruta o dulces. Con la comida se toma vino y después del postre café.

Entre las 5.00 y las 6.00 de la tarde los niños suelen merendar. La merienda consiste de un bocadillo o fruta.

La cena es también una comida fuerte. Los españoles suelen cenar entre las 9.00 y 10.00 de la noche. Toman huevos, queso, jamón, tortillas, etc.

Importante: Se come mucho pan blanco con todos los platos.

Lição 6   Exercício, gramática

Exercício 1

Quanto você entendeu?
Assinale a coluna apropriada!

	Sí	No
1. En España el desayuno es una comida fuerte.		
2. Se suele tomar vino con el almuerzo.		
3. Se merienda a las 11.00 de la mañana.		
4. El almuerzo tiene solo un plato.		
5. En España se cena a las 7.30 de la tarde.		
6. Los españoles desayunan huevos, jamón y tortilla.		
7. Se merienda bocadillos y fruta.		
8. La cena es floja.		
9. Como postre se come fruta y platos dulces.		
10. Carne o pescado es un plato del mediodía.		

Verbos cujo radical muda de o para ue

poder   (poder)   **soler**   (costumar)

puedo ir posso ir   suelo ir costumo ir
puedes   sueles
puede   suele
podemos   solemos
podéis   soléis
pueden   suelen

Quando o radical desses verbos é a sílaba tônica, o **o** do radical muda para **ue**.

---

54   CINCUENTA Y CUATRO

Gramática, exercício Lição 6

Verbos reflexivos

lavarse	lavar-se
me *lavo*	me lavo
te *lavas*	te lavas
se *lava*	se lava
nos *lavamos*	nos lavamos
os *laváis*	vos lavais
se *lavan*	se lavam

O **pronome reflexivo** está ligado aos verbos no **infinitivo**:
no tienes que aburrirte   não precisa se aborrecer
hay que lavarse   é preciso se lavar

Alguns verbos reflexivos em espanhol também o são em português, outros não:
quedarse (ficar), **levantarse** (levantar-se),
llamarse (chamar-se)
Observe as mudanças de significado!
ir (ir) **irse** (ir embora)
quedar (ficar, sobrar, **quedarse** (ficar, permanecer)
  combinar)

llamar (chamar) **llamarse** (ser chamado)
levantar (erguer) **levantarse** (levantar-se)

Preencha com a forma correta do verbo reflexivo.

1. ¿Cómo ... llamas? ... llamo Vicente.
2. ¿No ... aburre en la escuela?
3. ... quedamos en casa.
4. ... van de paseo.
5. ¿... laváis todas las mañanas?
6. ... levantas a las ocho y media.
7. Hay que peinar ... por las mañanas.

Exercício 2

Lição 6

Gramática, exercício

> **Todo** tudo, todos, o todo, cheio
>
> | todo, -a + | artigo + definido | subst. = | o todo/total |
> |---|---|---|---|
> | todo | el | día | o dia todo |
> | toda | la | familia | toda a família |
>
> | todos, -as + | artigo + definido | subst. = | todos |
> |---|---|---|---|
> | todos | los | días | todo dia
todos os dias |
> | todas | las | mañanas | toda manhã,
todas as manhãs |
>
> **De noche todos los gatos son pardos.**
> À noite todos os gatos são pardos.

Exercício 3

todo el, toda la, todos los ou **todas las?**

1. Me quedo en casa ... día.
2. ¿Sabes cantar ... canciones?
3. Voy al trabajo ... mañanas.
4. Vamos de vacaciones ... años.
5. Solemos ir de paseo ... tardes.
6. No puedo trabajar ... vida.
7. No ... españoles bailan el flamenco.
8. En ... cielo se pueden ver aviones.

Gramática — Lição 6

Contando o tempo

| ¿Qué hora es? | Que horas são? |
| ¿A qué hora? | A que horas? |

0

menos 15/ menos cuarto — horas — **y 15/ y cuarto**

y 30/y media

Es la una/Son las dos	É uma hora/São duas horas
en punto	em ponto
y cinco	e cinco
y cuarto	e quinze
y media	e meia
menos cuarto	15 para a uma/as duas etc.
menos veinticinco	25 para a uma/as duas etc.

a la una menos cuarto	às quinze para a uma
a las ocho en punto	às oito em ponto
a mediodía	ao meio-dia
a medianoche	à meia-noite
a eso de las cinco	pouco antes das cinco
a las cinco más o menos	mais ou menos às cinco

a especifica uma hora exata, **por** é usado para um período de tempo:
a las cinco de la tarde   mas: **por la tarde**
às cinco da tarde   mas: **à** tarde

Em espanhol, "**es**" **la una**, e todas as outras horas "**son**" **las dos, tres** etc.

Lição 6											Exercício

Exercício 4

Relacione os horários em números às palavras abaixo e escreva os horários não listados em palavras. Observe que na Espanha o horário de 24 horas é usado em locais como aeroportos, estações de trem etc.

a 1.30 **b** 17.15 **c** 4.45 **d** 7.00 **e** 1.00
f 11.55 **g** 10.05 **h** 12.35 **i** 15.20 **j** 22.00

... la una menos veinticinco   ....

... las diez de la noche   ....

... las siete en punto   ....

... las doce menos cinco   ....

... las cinco y cuarto de la tarde   ....

Exercício 5

Complete com os verbos na 1ª pessoa do singular.

1. (poder) — No ... ir a clase.

2. (estar) — ... en el bar de la esquina.

3. (ir) — Por la mañana ... a la parada del autobús.

4. (soler) — Por las tardes ... ir de paseo.

5. (tener) — ... mucha hambre y sed.

6. (quedarse) — Si ... en casa no tengo inspiraciones.

7. (venir) — ... del colegio.

8. (ser) — No ... de Madrid sino de Nueva York.

9. (comer) — ... zanahorias y pan.

10. (arreglar) — Por la mañana ... las camas.

Exercício, vocabulário — Lição 6

Reescreva o diálogo usando o registro formal na 3ª pessoa do singular (Ud.).

– ¿Puedes ir a la agencia de viajes, por favor?
– Sí, ¿dónde está?
– Tienes que ir hasta la esquina, cruzas la calle y tomas el paseo a la derecha.
Y estás allí enfrente.
– Muy bien.

Exercício 6

a eso de	por volta de (horário)	cuarto m	um quarto, quinze minutos
aburrirse	entediar-se		
agencia f de viajes	agência de viagens	darle tiempo al tiempo	dar tempo ao tempo
almuerzo m	almoço	depende	depende
arreglar	consertar	desayunar	tomar café da manhã
arreglarse	ajeitar-se, arrumar-se	desayuno m	café da manhã
arroz m	arroz		
bocadillo m	lanche, sanduíche	después	depois
		dulce m	doce(s), bolos
cama f	cama		
canción f	música	escuchar	escutar
cantar	cantar	estudio m	estúdio
carne f	carne	familiar	familiar
cena f	jantar	flojo, -a	(aqui:) fraco
cenar	jantar	fruta f	fruta
clase f	classe	fuerte	forte (aqui:) substancial
cocinar	cozinhar		
colegio m	escola particular	gato m	gato
		hora f	hora
comida f	almoço	hoy	hoje
compra f	compra	huevo m	ovo
comprar	comprar	importar	importar
comprender	entender	inspiración f	inspiração
consistir de	consistir em	ir de compras	fazer compras

Vocabulário

▶

CINCUENTA Y NUEVE

irse	ir embora	pintar	pintar
jamón m	presunto	pintor m	pintor
junto, -a	junto	plato m	prato
lavarse	lavar-se	poder (-ue-)	poder, ser capaz de
leer	ler		
levantarse	levantar-se	postre m	sobremesa
libre	livre	preparar	preparar
lista f	lista	problema m	problema
llamarse	ser chamado	quedarse	ficar, permanecer
magdalena f	bolinhos recheados	queso m	queijo
más o menos	mais ou menos	saber	saber, ser capaz de
medianoche f	meia-noite	sé	eu sei
medio, -a	meio, -a	soler (-ue-)	costumar
mediodía m	meio-dia	tele(visión) f	televisão
merendar (-ie-)	tomar um lanche	tiempo m	tempo
		tiempo m libre	tempo livre
merienda f	lanche	todo el día	o dia todo
mermelada f	geleia	todos, -as	todos, -as
música f	música	tortilla f	omelete espanhola (de batatas)
necesitar	necesitar		
noche f	noite		
pan m	pão	tostada f	torrada
para	para, então	trabajar	trabalhar
pasar	passar	trabajo m	trabalho
paseo m	passeio, caminhada	vacaciones f pl	férias
		verduras f pl	verduras
peinarse	pentear-se	vida f	vida
pescado m	peixe (prato)	ya	já

En la cocina

Carmen: Karen, ¿sabe cocinar?
Karen: No sé cocinar, depende ... Puedo preparar ensaladas...
Carmen: ¡No importa! Podemos cocinar juntas.
Karen: Sí, esto me gusta.
Carmen: Aquí están los artefactos que necesita un ama de casa para poder cocinar. Esta es una sartén y éstas son cazuelas de diferentes tamaños ... Aquí están los platos, y las tazas y allí los vasos y los cubiertos: los tenedores, los cuchillos y las cucharas.
Karen: ¿Qué es esto?
Carmen: Eso es un porrón. Se echa vino y se pone sobre la mesa. Y ahora hacemos un plato típico de España, la paella.
Karen: Muy bien. ¿Cómo se hace?

Carmen:	Necesitamos arroz, carne de pollo, judías verdes, cebollas, tomates, ajo, un poco de jerez, sal y azafrán y unas cucharadas de aceite de oliva. Hay paellas diferentes, ¿sabe? Se hacen con los ingredientes típicos de la región, pero siempre con arroz.
Karen:	¿Se come a menudo la paella en España?
Carmen:	No, la paella es un plato para ocasiones un poco excepcionales. Se suele cocinar en una paellera a fuego lento... ¿Puede preparar un postre?
Karen:	¡Esto es una buena idea!
Carmen:	¿Qué tipo de postre es?
Karen:	Es una sorpresa.
Carmen:	¡Qué bueno! Estoy muy curiosa, ¡se me hace la boca agua!

Na cozinha

Carmen:	Karen, você sabe cozinhar?
Karen:	Não sei cozinhar, mas depende... Posso preparar saladas...
Carmen:	Não importa! Podemos cozinhar juntas.
Karen:	Sim, vou gostar disso.
Carmen:	Aqui estão os utensílios que uma dona de casa necessita para cozinhar. Esta é uma frigideira e estas são panelas de vários tamanhos... Aqui estão os pratos e as xícaras e ali estão os copos e talheres: os garfos, as facas e as colheres.
Karen:	O que é isso?
Carmen:	É um *porrón*. Coloca-se vinho nele e então o colocamos na mesa. E agora vamos preparar um prato típico, a *paella*.

Diálogo, gramática　　　　　　　　　　　　　　　　　　　　　　　　　Lição 7

Karen:	Ótimo! Como se faz?
Carmen:	Precisamos de arroz, frango, vagens, cebolas, tomates, alho, um pouco de xerez, sal e açafrão e algumas colheres de óleo de oliva. Há *paellas* diferentes, sabe? Elas são preparadas com ingredientes típicos da região, mas sempre com arroz.
Karen:	Vocês sempre comem *paella* na Espanha?
Carmen:	Não, a *paella* é um prato para ocasiões especiais. Costuma ser cozida em uma panela de *paella* em fogo baixo... Você pode preparar uma sobremesa?
Karen:	Essa é uma boa ideia!
Carmen:	Que tipo de sobremesa é?
Karen:	É surpresa.
Carmen:	Que bom! Estou muito curiosa, já estou com água na boca!

Saber　saber (como), ser capaz de

Sé *cocinar.*	Sei cozinhar.
Sabes *leer.*	Sabes ler.
Sabe *cantar.*	Sabe cantar.
Sabemos *español.*	Sabemos espanhol.
Sabéis *esto de memoria.*	Sabeis isto de memória.
Saben *dónde está.*	Sabem onde está.

■ Diferentemente do termo *poder,* o verbo **saber** + **infinitivo** refere-se a uma **habilidade inata** ou **adquirida.**

■ O acréscimo de um pequeno acento, entretanto, faz toda a diferença:

Sé *español.*	Sei espanhol.
Se *habla español.*	Fala-se espanhol/Espanhol é falado.

Lição 7 Exercício, gramática

Exercício 1

Preencha com a forma correta de *saber*.

1. El no ... dónde están ellos.
2. (Yo) no ... cocinar.
3. ¿... (vosotros) por qué no viene?
4. (Ellas) ... mucho español.
5. ¿Ud. ... como ir al centro?
6. ¿ ... tú el camino?
7. Tienes que ... tocar la guitarra.
8. Preguntan si (nosotros) ... preparar postres.

Hacer fazer
Poner pôr

Dois outros verbos com **-g-** na **1ª pessoa do singular** são ***hacer*** (fazer) e ***poner*** (pôr):

hacer	poner
hago	pongo
haces	pones
hace	pone
hacemos	ponemos
hacéis	ponéis
hacen	ponen

Frases úteis:

Hace buen tiempo.	O tempo está bom.
Hago autostop.	Viajo de carona.
Pongo la mesa.	Ponho a mesa.

Gramática — Lição 7

Pronomes demonstrativos

Este (temporal ou espacialmente **próximo** de quem fala)

Este libro de aquí es de Ud. Este livro **aqui** é do Sr.
estos libros — estes livros (aqui)
esta flor — esta flor (aqui)
estas flores — estas flores (aqui)
esto — isto (aqui)

Ese (temporal ou espacialmente **longe** de quem fala e perto da pessoa a quem se dirige)

Ese libro de ahí es de Ud. Esse livro (ali) é do Sr.
esos libros — esses livros (ali)
esa flor — essa flor (ali)
esas flores — essas flores (ali)
eso — isso (ali)

Aquel (longe das pessoas que participam da conversa)

Aquel libro de allí es de Ud. Aquele livro **lá** é do Sr.
aquellos libros — aqueles livros (lá)
aquella flor — aquela flor (lá)
aquellas flores — aquelas flores (lá)
aquello — aquilo (lá)

Sempre que os pronomes demonstrativos **ese, este** etc. são usados **sozinhos** ou **não** são posicionados **logo ao lado do substantivo**, eles **são acentuados**:
Éste es mi oso de felpa.   Este é meu urso de pelúcia.

■ **esto, eso, aquello** nunca são acentuados:
¿Qué es esto?   O que é isso?

Lição 7 — Exercício, gramática

Exercício 2

Selecione o pronome demonstrativo correto.

1. Es mi amigo, el hombre ...
 a este   **b** aquéllo   **c** esa

2. Los años 50: ¡ ... tiempos son interesantes!
 a aquellos   **b** ésos   **c** éstos

3. No voy a ... lugar, me quedo aquí.
 a esta   **b** eso   **c** aquel

4. ...año viajo a Madrid.
 a este   **b** esa   **c** aquella

5. Entre todas las chicas ... es la más bonita.
 a éste   **b** la aquélla   **c** esta

El/la

el ama de casa moderna — a dona de casa moderna
las amas de casa moderna**s** — as donas de casa modernas
el hada madrin**a** — a fada madrinha
las hadas madrin**as** — as fadas madrinhas

■ **Substantivos femininos** que começam com **a-/ha-** tônicos usam o **artigo definido el** no singular.

Exercício 3

Complete com o artigo definido.

1. ... coche   **2.** ... hambre   **3.** ... cama
4. ... Alpes   **5.** ... tarde   **6.** ... azafata
7. ... viaje   **8.** ... domingo   **9.** ... agua
10. ... día

Exercício   Lição 7

Exercício 4

Conjugue os verbos como nos exemplos.

poner	pongo	ponéis	pones	ponemos
1. comer				
2. estar				
3. hacer				
4. ir				
5. ser				
6. saber				
7. venir				
8. tener				
9. preparar				
10. abrir				

Exercício 5

Complete com as formas verbais corretas.

Yo (hacer) muchos viajes. No (ir) a ciudades sino al campo. (Alquilar) un chalet y (disfrutar) de la vida. (Ponerse) el traje más bonito y (tener) fiestas. A mis fiestas (venir) mucha gente. Todos (bailar) y (cantar). Mis fiestas (ser) las mejores fiestas del año.

Exercício 6

Passe para o espanhol.

Boa tarde, Sra. García. Sou de Valência. Estou um pouco cansado. Minhas malas são pesadas. Seu marido está em casa? Muito obrigada pelo café. Você sabe fazer *paella*?
A que horas jantamos? Às dez da noite? Vou sair para caminhar.

Lição 7 — Vocabulário

a fuego lento	em fogo baixo
(el) agua *f*	água
a menudo	com frequência
abierto	aberto
aceite *m*	azeite
aceite *m* de oliva	azeite de oliva
ajo *m*	alho
(el) ama *f* de casa	dona de casa
arroz *m*	arroz
artefacto *m*	utensílio
azafrán *m*	açafrão
carne *f* de pollo	carne de frango
campo *m*	campo
cazuela *f*	panela (caçarola)
cebolla *f*	cebola
cocinar	cozinhar
cubierto *m*	talheres
cuchara *f*	colher
cucharada *f*	colherada
cuchillo *m*	faca
curioso, -a	curioso, -a
de memoria	de cor
depende	depende
diferente	diferente
disfrutar de	saborear
echar	colocar
ensalada *f*	salada
excepcional	excepcional
fiesta *f*	festa
flor *f*	flor
fuego *m*	fogo
gustar	gostar
hacer	fazer
hacer autostop	viajar pedindo carona
idea *f*	ideia
ingrediente *m*	ingrediente
judías *f pl* verdes	vagens
me	me
ocasión *f*	ocasião
paella *f*	*paella* (prato espanhol)
paellera *f*	panela de *paella*
para	para
plato *m*	prato
pollo *m*	frango
poner	pôr
porrón *m*	jarra de vinho com bico
postre *m*	sobremesa
preparar	preparar
región *f*	região
saber	saber, ser capaz de
sal *f*	sal
salchicha *f*	linguiça
sartén *f*	frigideira
siempre	sempre
sorpresa *f*	surpresa
tamaño *m*	tamanho
tampoco	tampouco, nem
taza *f*	xícara

tenedor *m*	garfo	**traje** *m*	terno
típico, -a	típico	**un poco**	um pouco
tipo *m*	tipo	**vaso** *m*	copo
tomate *m*	tomate		

Cozinha espanhola

A cozinha espanhola é muito variada e diferente. Alguns desses pratos, como a **paella** ou a **tortilla**, são conhecidos em todo o mundo. Ao mesmo tempo, toda região espanhola tem suas especificidades locais que merecem ser experimentadas.

Gazpacho andaluz, por exemplo, é uma sopa fria de vegetais que combina muito bem com o clima da Andaluzia. Em Madri, os visitantes devem experimentar o **cocido madrileño**, enquanto Castela é famosa por seus deliciosos **asados de cordero o cabrito** assim como pelo **cochinillo** (leitão assado). Alguns pratos conhecidos da Catalunha são **conejo al alioli**, coelho assado com maionese com alho, e peixe ensopado, como o famoso **zarzuela**.

Chilindrón, um molho espesso feito de tomates, pimentões e cebolas e servido com várias carnes, é típico da região em torno do rio Ebro.

A **fabada asturiana** é um ensopado feito de feijões brancos, linguiças apimentadas e bacon, geralmente servido em Astúrias. **Mariscos y pescados** frescos (pratos de mariscos e peixe) da Galícia são outro destaque culinário assim como a **ensaimada**, rosca típica de Mallorca. Os **churros**, massas doces fritas (mas sem recheio), são outro prato favorito, saboreado mergulhado em chocolate quente.

Teste 1

As letras nas caixas das respostas corretas formam uma frase. Descubra qual é! A solução está na página 273.

1 Escolha uma das duas possíveis soluções. Então vá à caixa que mostra o número da solução que você pensa ser correta.

2 Juan es un chico ....

españolo ⇨ 8
español ⇨ 21

6 ¡Falso!
Volver al nº 9

7 ¡Bien! C
¿Dónde ... la estación?

hay ⇨ 5
está ⇨ 13

11 ¡Falso!
Volver al nº 13

12 ¡Muy bien! H
El coche ... en el garage.

hay ⇨ 22
está ⇨ 27

16 ¡Falso!
Volver al nº 3

17 ¡Fantástico! I
... problema es grande.

El ⇨ 3
La ⇨ 25

21 ¡Muy bien! ¡
¿... te llamas?

Qué ⇨ 10
Cómo ⇨ 30

22 ¡Falso!
Volver al nº 12

26 ¡Qué bien! O
Este año yo ... a Perú.

voy ⇨ 24
vas ⇨ 29

27 ¡Muy bien! E
Yo no ... cocinar.

sabo ⇨ 18
sé ⇨ 7

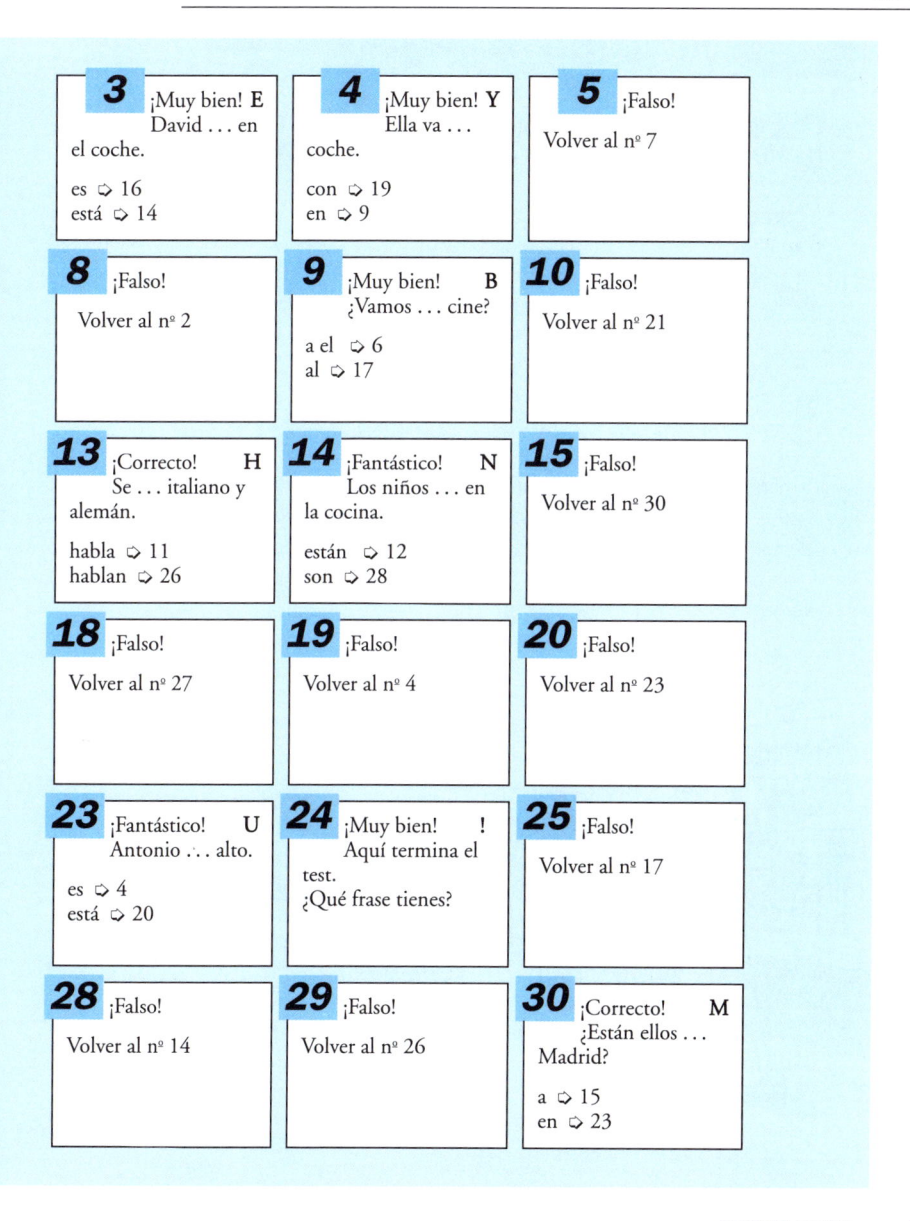

Teste 1

3 ¡Muy bien! **E**
David ... en el coche.

es ➪ 16
está ➪ 14

4 ¡Muy bien! **Y**
Ella va ... coche.

con ➪ 19
en ➪ 9

5 ¡Falso!

Volver al nº 7

8 ¡Falso!

Volver al nº 2

9 ¡Muy bien! **B**
¿Vamos ... cine?

a el ➪ 6
al ➪ 17

10 ¡Falso!

Volver al nº 21

13 ¡Correcto! **H**
Se ... italiano y alemán.

habla ➪ 11
hablan ➪ 26

14 ¡Fantástico! **N**
Los niños ... en la cocina.

están ➪ 12
son ➪ 28

15 ¡Falso!

Volver al nº 30

18 ¡Falso!

Volver al nº 27

19 ¡Falso!

Volver al nº 4

20 ¡Falso!

Volver al nº 23

23 ¡Fantástico! **U**
Antonio ... alto.

es ➪ 4
está ➪ 20

24 ¡Muy bien! **!**
Aquí termina el test.
¿Qué frase tienes?

25 ¡Falso!

Volver al nº 17

28 ¡Falso!

Volver al nº 14

29 ¡Falso!

Volver al nº 26

30 ¡Correcto! **M**
¿Están ellos ... Madrid?

a ➪ 15
en ➪ 23

SETENTA Y UNO

LIÇÃO 8

De compras

Dependiente: Buenos días, ¿qué le pongo?
Karen: ¡Hola!, buenos días, un kilo de ese bistec, por favor.
Dependiente: Sí, muy bien, ¿algo más?
Karen: ¿A cómo está este jamón?
Dependiente: ¿El serrano?, a veinticuatro euros el kilo.
Karen: Entonces me pone 200 gramos de jamón y 300 gramos de queso manchego, por favor.
Dependiente: ¿300 gramos del manchego joven?
Karen: No lo sé, ¿puedo probar un poquito?
Dependiente: Sí, claro, aquí tiene un trozo.
Karen: ¡Huy, está rico! Lo tomo.
Dependiente: Aquí tiene, ¿quiere algo más?
Karen: Un cuarto de kilo de chorizo.
Dependiente: Lo siento, pero no me queda. ¿Desea alguna cosa más?
Karen: No, nada más, gracias.

Diálogo   Lição 8

Karen mira la lista de compras y habla sola:
                ¿Qué más necesito?... Dos litros de leche,
                un paquete de harina, una lata de sardinas,
                una botella de aceite y aceitunas verdes.
                Además tomates, huevos... y zanahorias
                para Nicolás.
Karen: ¡Hola!, ¿cuánto cuesta el kilo de tomates?
Empleada: Noventa y nueve céntimos, estos tomates
                son buenísimos.
Karen: Están duros, ¿verdad? Un kilo, por favor.
Empleada: ¿Puede ser un poquito más?
Karen: Sí, pero no mucho.
Empleada: Las patatas y zanahorias están en oferta esta
                semana.
Karen: Oh..., medio kilo de zanahorias. Por favor,
                ¿dónde están los huevos?
Empleada: Allí a la derecha, son de gallinas de corral.
                ¿Es todo?
Karen: Sí, eso es todo, gracias.

Às compras

Balconista: Boa tarde. Que deseja?
Karen: Oi, boa tarde. Um quilo de filé, por favor.
Balconista: Bom, algo mais?
Karen: Quanto é o presunto?
Balconista: O tipo parma? 24 euros o quilo.
Karen: Dê-me 200 gramas de presunto, então, e 300 gramas
                de queijo Manchego, por favor.
Balconista: 300 gramas de Manchego jovem?
Karen: Não sei. Posso experimentar?
Balconista: Claro, aqui, pegue um pedaço.
Karen: Mmm, está delicioso. Vou levar.
Balconista: Aqui está. Quer mais alguma coisa?
Karen: 250 gramas de linguiça picante.
Balconista: Desculpe-me, mas acabou. Gostaria de alguma outra
                coisa?
Karen: Não, nada mais, obrigada.

SETENTA Y TRES

Lição 8 — Diálogo, gramática, exercício

Karen olha sua lista de compras e murmura para si mesma:
Do que mais eu preciso?... Dois litros de leite, um pacote de farinha, uma lata de sardinhas, uma garrafa de azeite e azeitonas verdes. E tomates, ovos... e cenouras para Nicolás.

Karen: Oi, quanto é o quilo de tomates?
Balconista: 99 centavos, esses tomates estão muito bons.
Karen: Estão firmes, né? Um quilo, por favor.
Balconista: Pode passar um pouquinho?
Karen: Sim, mas não muito.
Balconista: As batatas e cenouras estão em oferta esta semana.
Karen: Certo, ... meio quilo de cenouras. Onde estão os ovos, por favor?
Balconista: Ali à direita, são ovos caipiras. É só?
Karen: É sim, obrigada.

Verbos cujo radical muda de e para ie

querer (gostar, querer, amar)   **empezar** (começar)

qu**ie**ro (quero)   emp**ie**zo (começo)
qu**ie**res   emp**ie**zas
qu**ie**re   emp**ie**za
queremos   empezamos
queréis   empezáis
qu**ie**ren   emp**ie**zan

Quando o radical desses verbos é a sílaba tônica, o **e** do radical muda para **ie**.

Exercício 1

Complete com as formas verbais.

	nosotros	usted	tú	ellas
1. querer				
2. almorzar				
3. sentir				
4. comprar				
5. empezar				
6. soler				

Pronomes com função de complemento

Indireto (dativo)	Direto (acusativo)
De quem? Do quê?	*Quem? O quê?*
me *gusta* eu gosto	**me** *saluda* ele me cumprimenta
te te	**te** te
le lhe	**lo**, **la** o, a
nos nos	**nos** nos
os vos	**os** vos
les lhes	**los**, **las** os, as

As formas direta e indireta são as mesmas para a 1ª e a 2ª pessoa do singular e plural!

Os pronomes da 3ª pessoa do singular e do plural são usados para **pessoas e objetos:**
no **lo** *sé* = eu não sei (**isso**)
lo *saludo* = eu **o** cumprimento
Na Espanha **lo** pode ser substituído por **le** quando se refere a homens e o verbo for transitivo direto:
le/lo *veo* = eu **o** vejo

■ Com verbos conjugados, os pronomes são pospostos e unidos ao verbo:

Te *compro zanahorias.* = Compro-te cenouras.
Com verbos no infinitivo, os pronomes são pospostos e unidos ao verbo:
*dar***le** *tiempo al tiempo*

■ O pronome depois de **preguntar** é um **objeto indireto**:

*Puedes preguntar***les.** = Pode perguntar-lhes.

Lição 8 — Exercício

Exercício 2

Assinale a pessoa e indique singular ou plural para os pronomes em cada sentença.

	1ª pers.	2ª pers.	3ª pers.	sg.	pl.
1. *Te* duchas todos los días.					
2. No puedo mirar*las*.					
3. *Se* lava con agua caliente.					
4. *Me* levanto a las siete.					
5. ¿Quién *nos* quiere?					
6. *Lo* compro para mi madre.					
7. No sé qué preguntar*os*.					
8. ¿Sabes *tú* dónde están?					
9. ¿Qué *le* pongo?					
10. *Les* cantan una canción.					

Exercício 3

Responda às perguntas usando o exemplo como referência.

¿Quién compra las zanahorias?
*Yo **las** compro.*

1. ¿Quién abre la ventana? ....
2. ¿Quién hace el trabajo? ....
3. ¿Quién come patatas? ....
4. ¿Quién escribe los libros? ....
5. ¿Quién nos quiere? ....
6. ¿Quién compra la cerveza? ....
7. ¿Quién pone la mesa? ....
8. ¿Quién toma los cigarrillos? ....

Exercício, gramática   Lição 8

Substitua os substantivos pelos pronomes adequados.

1. (El periódico) ... compro.
2. (La lengua) no ... habla Ud. bien.
3. (La bicicleta) ... falta una rueda.
4. Tenéis que saludar ... (la azafata).
5. Podéis preguntar ... (las chicas) qué hora es.
6. (El flamenco) no ... baila.
7. No ... alquiláis (las habitaciones).
8. (El pollo) puedes poner ... un poco de sal.
9. (Las enfermeras) ... llaman.
10. (Julia) ... cantamos algunas canciones.

Exercício 4

Medio – otro

medio *kilo de queso*   meio quilo de queijo
media *docena de huevos*   meia dúzia de ovos
otro *pan*   um outro pão
otra *botella de leche*   uma outra garrafa de leite

Porém: **un** *cuarto de kilo de chorizo*
250 gramas de linguiça picante

■ Não se usa artigo indefinido antes de **medio** e **otro**!

SETENTA Y SIETE   **77**

Lição 8 — Gramática, exercício

Números cardinais de 31 a 2000

31 treinta y uno, -a
32 treinta y dos
40 cuarenta
50 cincuenta
60 sesenta
70 setenta
80 ochenta
90 noventa
100 cien, ciento
102 ciento dos

200 doscientos, -as
300 trescientos, -as
400 cuatrocientos, -as
500 quinientos, -as
600 seiscientos, -as
700 setecientos, -as
800 ochocientos, -as
900 novecientos, -as
1.000 mil
2.000 dos mil

y é inserido **apenas entre as dezenas e unidades**: *treinta y cinco*, mas: *ciento dos*

Antes dos substantivos com **ciento** usa-se **cien**: *cien libros*

Múltiplos de *ciento* concordam em **gênero com o substantivo**: *seiscientas cosas, trescientos libros*

Assim como em português, os números com mais de quatro dígitos em geral têm um ponto: **1.580**

Exercício 5

Selecione a resposta correta.

1. 250 se escreve:
a dos cien cincuenta
b doscientos cincuenta
c doscientos y cincuenta

2. 701 se escreve:
a siete cientos uno
b setecientos y uno
c setecientos uno

3. 50 se escreve:
a cincuenta
b quinientos
c quince

4. 522 se escreve:
a quinientos veinte y dos
b quinientos veintidós
c cincuentaveintidós

Exercício, vocabulário — Lição 8

Exercício 6

Traduza.

Meio quilo de tomates, por favor,
2 litros de leite, um filão de pão,
250 g de cenouras, meia dúzia de ovos,
uma outra garrafa de leite e
dois potes de geleia.

Vocabulário

¿A cómo está?	Quanto custa?
¿Algo más?	Algo mais?
aceitunas *f pl*	azeitonas
además	além disso
alguno, -a	algum, -a
alquilar	alugar
bistec *m*	filé
céntimo *m*	centavo
chorizo *m*	linguiça picante
corral *m*	galinheiro
costar (-ue-)	custar
dependiente *m/f*	balconista, vendedor
desear	desejar
duro, -a	duro, -a
empezar (-ie-)	começar
en oferta *f*	em oferta
entonces	então
gallina *f*	galinha
gallinas *f pl* **de corral**	galinhas caipiras
gramo *m*	grama
harina *f*	farinha
jamón *m* **serrano**	presunto curado
joven	jovem
kilo *m*	quilo
lata *f*	lata
lo siento	desculpe-me
manchego	queijo Manchego
paquete *m*	pacote
patata *f*	batata
probar (-ue-)	experimentar
querer (-ie-)	querer, gostar, amar
rico, -a	saboroso, -a delicioso, -a
sardina *f*	sardinha
sentir (-ie-)	sentir muito
solo, -a	sozinho, -a
trozo *m*	pedaço
un poquito	um pouquinho

SETENTA Y NUEVE

Lição 8 — Vocabulário, país e cultura

Vocabulário adicional

una barra de pan	um filão de pão	un tarro de mermelada	um pote de geleia
una rebanada de pan	uma fatia de pão	un tubo de mayonesa	um pote de maionese
un paquete de cigarrillos	um maço de cigarros	una caja de cerillas	uma caixa de fósforos
un ramo de flores	um buquê de flores	una docena de huevos	uma dúzia de ovos
una tableta de chocolate	uma barra de chocolate	una loncha de jamón	uma fatia de presunto

Horários

Na Espanha, a maioria das lojas e supermercados abrem diariamente, exceto aos domingos. O horário de funcionamento vai das 10h às 14h e das 17h às 20h. Muitas lojas de departamentos ficam abertas o dia todo, das 10h às 21h e e até mesmo em alguns domingos.

En la estación central

Karen: Mañana voy a ir en tren a Toledo.
Pedro: ¿Cuánto tiempo va a quedarse?
Karen: Solo un día, voy ida y vuelta.
Voy a sacar el billete en la ventanilla de venta de billetes de la RENFE.

En la estación.
Pasajero: Puede pasar Ud. primero, señorita.
Yo tardo un rato.
Karen: Muy amable, gracias.
Empleado: Buenas tardes, ¿adónde va Ud. señorita?
Karen: Buenas tardes, deseo sacar un billete para Toledo, por favor.
Empleado: ¿Ida y vuelta?
Karen: Sí, segunda clase, no fumadores.

Empleado: ¿Para cuándo lo desea?
Karen: Para mañana.
Empleado: ¿Para qué hora?
Karen: Perdón, Ud. me hace muchas preguntas, ¿hay que saber el día y la hora?
Empleado: Sí, en España los billetes de tren hay que comprarlos para un día concreto y una hora exacta.
Karen: Ah, entonces ... para el tren de las 8.00 de la mañana. ¿Puedo reservar un asiento junto a la ventanilla?
Empleado: Sí, todavía quedan asientos libres.
Karen: ¿Hay que hacer transbordo?
Empleado: El rápido de las 7.00 es un tren directo.
Karen: ¿De qué andén sale el tren?, por favor.
Empleado: El tren para Toledo parte del andén nº 8, es el último andén a la derecha.

El próximo día en el tren.
Karen: Perdón, señor, tengo una reserva para este asiento.
Señor: Oh ... lo siento mucho. Mi asiento es el nº 6.
Karen: El tren lleva retraso, ¿verdad?
Señor: Sí, lleva 15 minutos de retraso.
Karen: ¿Le molesta si abro la ventanilla? Hace mucho calor en este departamento, y hasta Toledo vamos a tardar un rato.

Na estação central

Karen: Amanhã vou de trem para Toledo.
Pedro: Quanto tempo vai ficar?
Karen: Um dia só. Vou e volto. Vou comprar a passagem na bilheteria da RENFE.
Na estação.
Passageiro: Pode passar na frente, senhorita. Vou demorar um tempo.
Karen: É muito gentil de sua parte, obrigada.

Diálogo, gramática   Lição 9

Funcionário:	Boa tarde. Para onde vai a srta.?
Karen:	Boa tarde, quero uma passagem para Toledo, por favor.
Funcionário:	Ida e volta?
Karen:	Sim, segunda classe, não fumante.
Funcionário:	Para que dia?
Karen:	Para amanhã.
Funcionário:	A que horas?
Karen:	Desculpe-me, o sr. está fazendo muitas perguntas. Temos que já saber o dia e o horário?
Funcionário:	Sim, na Espanha você tem de comprar a passagem de trem para um dia definido e um horário específico.
Karen:	Está bem ... para o trem das oito horas da manhã. Posso reservar um assento na janela?
Funcionário:	Sim, ainda há alguns assentos vagos.
Karen:	Terei de fazer baldeação?
Funcionário:	O trem expresso das 7 horas é um trem direto.
Karen:	De qual plataforma sai o trem, por favor?
Funcionário :	O trem para Toledo sai da plataforma nº 8, é a última à direita.
No dia seguinte no trem.	
Karen:	Com licença, senhor, tenho uma reserva para este assento.
Passageiro:	Oh, ... me desculpe. O meu é o nº 6.
Karen:	O trem está atrasado, não é?
Passageiro:	Sim, está 15 minutos atrasado.
Karen:	O senhor se importa se eu abrir a janela? Está muito quente nesta cabine, e ainda vamos demorar um pouco para chegar a Toledo.

Futuro imediato com ir + a + infinitivo

ir + a + infinitivo = ir fazer algo

Voy a sacar el billete.	Vou comprar a passagem.
Vas a ir al cine.	Vais ao cinema.
Va a hacer una paella.	Vai fazer uma *paella*.
Vamos a levantarnos.	Vamos nos levantar.
Vais a lavaros.	Ides lavar-vos.
Van a irse.	Vão embora.

Lição 9   Exercício, gramática

Exercício 1 — Reescreva as sentenças com *ir + a* usando os seguintes exemplos.

No lo hacemos: No vamos a hacerlo.
Compro pan: Voy a comprar pan.

1. No lo hago ahora:..............
2. Tocas la guitarra:..............
3. Van en coche a Madrid:..............
4. No lo escribimos:..............
5. Vas a la calle:..............
6. Tienes que llamarle:..............
7. Pilar no estudia español:..............
8. No encuentro el libro:..............
9. Empezáis temprano:..............

Hay que + infinitivo = ter que

Tener que raramente é usado na forma impessoal; em vez de **se tiene que** geralmente se usa o impessoal **hay que**:
hay que tener suerte   há que ter sorte

Para

Para é usado para especificar um **objetivo, designação** ou **propósito**:
el tren **para** *Toledo* = o trem **para** Toledo
una reserva **para** *este asiento* = uma reserva **para** este assento
para *viajar* = **com a finalidade de** viajar

ou para definir uma **data**:
el billete **para** *mañana* = a passagem **para** amanhã

84   OCHENTA Y CUATRO

Exercício, gramática — Lição 9

Faça a correspondência entre as sentenças.

1. ¿Para qué compras el billete?   Para poder hablar español.
2. ¿Para qué te vas a la estación?   Para ir de paseo.
3. ¿Para qué tomas un taxi?   Para comprar un billete.
4. ¿Para cuándo tienes el tren?   Para ir a Toledo.
5. ¿Para quién compras zanahorias?   Para ir al centro.
6. ¿Para qué estudias español?   Para mañana.
7. ¿Para qué sales?   Para Nicolás.

Números ordinais

1. primero, -a	5. quinto, -a	9. noveno, -a
2. segundo, -a	6. sexto, -a	10. décimo, -a
3. tercero, -a	7. séptimo, -a	
4. cuarto, -a	8. octavo, -a	

Os números ordinais **acima de 10 são incomuns**. Usam-se os números cardinais junto do substantivo:
el piso **once**   o **décimo primeiro** andar
el día **quince**   o **décimo quinto** dia

Quando especifica uma data, os números ordinais são usados apenas para o primeiro dia do mês:
el primero de agosto (ou: *el uno de agosto*)
mas: *el dos de agosto*

Quando usado antes de substantivos masculinos, **primero** e **tercero** perdem o **o**:
el **primer** *piso*   o primeiro andar
el **tercer** *hijo*   o terceiro filho

Números ordinais também são usados em frações:
un **cuarto**   um quarto
un **quinto**   um quinto
la **tercera** *parte* um terço

Lição 9 — Exercício

Exercício 3

Escreva o *y* quando necessário.

1. Dos ... mil ... tres ... cientos ... cincuenta ... tres. (2.353)
2. Diez ... mil ... dos ... cientos ... siete. (10.207)
3. Ocho ... cientos ... ocho. (808)
4. Mil ... quince. (1.015)
5. Treinta ... mil ... quinientos ... setenta ... cinco. (30.575)

Exercício 4

Escreva os números por extenso.

Vivimos en el 4º piso:
Vivimos en el cuarto piso.

1. Alfonso XIII, rey de España:..........
2. Siempre llego 1º:..........
3. Hoy es el 3er día de la semana:..........
4. Quiero 1/2 litro de leche:..........
5. Juan Carlos I de Borbón:..........
6. Subimos a la 10ª planta:..........
7. Compro 1/4 kilo de tomates:..........
8. Estamos en el 7º mes del año:..........

Exercício 5

Preencha com *a, para, en* ou *de*.

1. El profesor es ... Madrid.
2. Esos libros son ... Pilar.
3. La casa está ... el centro.
4. Necesito leche ... el café.
5. Tengo que ir ... casa.
6. Mañana vamos ... teatro.
7. El tren sale ... las ocho.
8. El bolso es ... cuero.
9. La familia García vive ... Barcelona.
10. El ramo de flores está ... la mesa.

andén *m*	plataforma	partir	partir, deixar
asiento *m*	assento		
billete *m*	passagem	pasar	passar
billete *m* de tren	passagem de trem	planta *f*	piso, andar
		pregunta *f*	pergunta
calor *m*	calor	primero, -a	primeiro, -a
clase *f*	aula	próximo, -a	próximo, -a
concreto, -a	concreto, -a	rato *m*	momento
cuero *m*	couro	RENFE *f*	companhia
departa- mento *m*	cabine de trem	(Red Nacional de Ferrocarriles	ferroviária estatal
desear	desejar	Españoles)	espanhola
directo, -a	direto, -a	reserva *f*	reserva
encontrar (-ue-)	encontrar	reservar	reservar
estación *f* central	estação central	rey *m* sacar	rei tirar, sacar, (*aqui:*)
exacto, -a	exato, -a		comprar
fumador *m*	fumante		
hace mucho calor	está fazendo muito calor	salir segundo, -a	sair, partir segundo, -a
hacer transbordo	fazer baldeação	subir tardar	subir demorar
hasta	até	tardar un rato	demorar um pouco
ida *f*	ida		
ida y vuelta	ida e volta	temprano, -a	cedo
llevar retraso	estar atrasado	todavía	ainda
molestar	perturbar	(tren) rápido *m*	trem expresso
no fumadores	não fumantes	venta *f*	venda
¿Para cuándo?	Para quando?	ventanilla *f* de venta de billetes	bilheteria, guichê
¿Para qué hora?	Para que horário?		
¿Para qué?	Para quê?	vuelta *f*	volta
¿Para quién?	Para quem?		

Viagem de trem

Ao entrar na Espanha vindo do oeste, é preciso escolher entre as duas linhas principais que vão a Madri: ou a **Línea del Nordeste**, que passa por Barcelona, ou a **Línea del Norte**, via Irún e Burgos.

As maiores cidades espanholas geralmente têm mais de uma estação ferroviária. **Atocha**, em Madri, serve os trens para o sul e oeste, enquanto a estação **Chamartín** fornece conexões de trem para o norte e o oeste da Espanha.

RENFE é o nome da companhia ferroviária estatal espanhola. Suas bilheterias estão nas estações ou em locais no centro da cidade. Quando comprar uma passagem, certifique-se de fazê-lo com antecedência e reserve um assento ao mesmo tempo, já que os trens costumam ficar cheios e com todas as passagens vendidas. Uma sobretaxa é cobrada para viagens nos trens superiores TER e **Talgo**, assim como no AVE, que é o trem de alta velocidade entre Madri e Sevilha. É o único trem espanhol que opera nos trilhos de tamanho europeu.

Viagens de trem dentro da Espanha são relativamente baratas. Procure os **días azules** – dias azuis. Nesses dias, as tarifas são reduzidas porque o tráfego é menor.

En la información turística

LIÇÃO 10

Karen: Buenos días, quisiera visitar Toledo y necesito un plano de la ciudad, por favor.
Empleada: ¿Es la primera vez que está en Toledo?
Karen: Sí, no conozco la ciudad. ¿Qué lugares turísticos puedo visitar?
Empleada: Bueno, la Catedral de Toledo, la casa de El Greco, el Alcázar, puede dar un paseo por la parte antigua de la ciudad, por la calle de Cervantes, por el paseo del Carmen, y a mediodía puede ir al restaurante Aurelia para probar uno de nuevos platos típicos, por ejemplo perdices a la toledana ...
Karen: Es solo una excursión de un día. ¿Tiene una visita con guía?
Empleada: Sí, tenemos visitas con guía cada dos horas.
Karen: Pues, eso a mí me interesa mucho.
Carlos: Perdón, señorita, a mí también me interesa una visita con guía. ¿Me puede ofrecer algo?

Lição 10 — Diálogo

Empleada:	Bueno, en esta época del año esto no es un problema. A menudo también organizan excursiones los hoteles ...
Carlos:	Sí, es verdad, pero a mí me gusta ir por mi cuenta. Eso de ir en grupo es un rollo.
Karen:	Pero, ... de vez en cuando es divertido, ¿no le parece?
Carlos:	Bueno, yo tomo rara vez algo en grupo ... bueno, casi nunca. Señorita, ¿a qué hora comienza la visita con guía?
Empleada:	Nuestro autobús sale siempre a las 9.30 de la mañana. Es un grupo español.
Carlos:	Para mí ... Ud. habla muy bien el castellano, bueno ... de vez en cuando parece tener un acento ... un poco diferente.
Empleada:	Señores, el autobús de las 9.30 está para partir.

No centro de informações turísticas

Karen:	Bom dia, gostaria de visitar Toledo e preciso de um mapa da cidade, por favor.
Funcionária:	É sua primeira vez em Toledo?
Karen:	Sim, não conheço a cidade. Que lugares turísticos posso visitar?
Funcionária:	Bem, a Catedral de Toledo, a casa de El Greco, o Alcázar, você pode dar um passeio pela parte antiga da cidade, pela rua Cervantes, pelo Paseo del Carmen, e ao meio-dia você pode ir ao Restaurante Aurelia para experimentar um de nossos pratos típicos, perdizes à moda de Toledo, por exemplo...
Karen:	É só uma viagem de um dia. Você tem uma visita guiada?

Diálogo, gramática — Lição 10

Funcionária:	Sim, temos visitas guiadas a cada duas horas.
Karen:	Bem, isso me interessa muito.
Carlos:	Com licença, senhorita, eu também estou interessado em uma visita com guia. O que você pode me oferecer?
Funcionária:	Bem, nesta época do ano isso não é um problema. Os hotéis também costumam organizar excursões ...
Carlos:	Sim, claro, mas gosto de ir por minha conta. Isso de sair em grupo é chato.
Karen:	Mas ... às vezes pode ser divertido, você não acha?
Carlos:	Bem, eu raramente faço coisas em grupo ... na verdade, quase nunca. Senhorita, a que horas começa a visita guiada?
Funcionária:	Nosso ônibus sai sempre às 9h30 da manhã. É um grupo espanhol.
Carlos:	Para mim ... A senhorita fala espanhol muito bem ... Bem, às vezes você parece ter um sotaque ... um pouco diferente.
Funcionária:	Senhores, o ônibus das 9h30 já vai sair.

Verbos cujo radical muda de c para zc

conocer (conhecer)

conozco
conoces
conoce
conocemos
conocéis
conocen

parecer (parecer)

parezco
pareces
parece
parecemos
parecéis
parecen

Na 1ª pessoa do singular, o **c** é antecedido por um **z**.

NOVENTA Y UNO

Lição 10 — Exercício, gramática

Exercício 1

Escreva a forma correta dos verbos.

1. Los niños (parecer) tener hambre.
2. Ud. (poder) dormir.
3. Yo no lo (conocer).
4. Me (parecer) muy caro.
5. ¿No (querer, tú) ir con nosotros?
6. Hay que (trabajar) todos los días.
7. ¿(Tú) (conocer) el camino?

Pronomes com função de complemento depois de preposições

Os seguintes **pronomes objeto** vêm depois de preposições como **a, de, para, por**:

mí	mim
ti	corresponde ao você *(informal)*
él, ella, Ud.	ele, ela, o Sr., a Sra. *(formal)*
nosotros	nos
vosotros	vos
ellos, ellas, Uds.	eles, elas, os Srs., as Sras. *(formal)*

*Las flores son **para ti**.* As flores são para você.
*Esto es **por ti**.* Isso é por você.

▪ O espanhol garante a compreensão repetindo pronomes: **a mí, a ti** etc. são usados para **enfatizar** e são sempre **suplementados** por **me, te** etc.
***A mí me** interesa.* A mim me interessa.
***A ellos les** ofrecen vino.* Ofereceram-lhes vinho.

Exercício 2

Enfatize o objeto nas seguintes afirmações.

1. ... me saluda todas las mañanas.
2. ... nos visita todos los días.
3. ... les preguntan muchas cosas.
4. ... os compran libros interesantes.

Exercício, gramática Lição 10

5. ... las invitan a un bar.
6. ... les gusta bailar.
7. ... te invitan a la fiesta.

Exercício 3

Preencha as lacunas com o pronome apropriado, de acordo com o exemplo.

Es de Javier: Es para él.
1. Es para (usted) ...
2. Es para (yo) ...
3. Es para (nosotros) ...
4. Es para (ellas) ...
5. Es para (tú) ...
6. Es para (ustedes) ...

---

quisiera + infinitivo = gostaria de

Quisiera visitar *la ciudad.*   Gostaria de visitar a cidade.

Exercício 4

Passe para o espanhol.

Gostaria de um pedaço de queijo, por favor.
Gostaria de visitar a parte antiga da cidade.
Gostaria de experimentar.
Posso ir?
Gostaria de estudar espanhol.
Eu falo espanhol.

---

estar + para + infinitivo = estar quase acontecendo

El autobús **está para partir**. O ônibus está quase partindo.

Lição 10 — Gramática, exercício

> **Por**
>
> **causa ou motivo**
> *Gracias **por** tu ayuda.* = Obrigado(a) **por** sua ajuda.
>
> **horário aproximado**
> ***por** la mañana* = **pela** manhã
>
> **preço**
> ***por** 200 euros* = **por** 200 euros
>
> **localização aproximada + movimento**
> ***por** la ciudad* = **pela** cidade
>
> **meios de comunicação**
> ***por** teléfono* = **pelo** telefone
>
> ■ Observe as seguintes expressões
> ***por fin*** = finalmente; ***¡Por Dios!*** = Pelo amor de Deus!

Exercício 5

***Por* ou *para*?**

1. El supermercado está cerrado . . . la tarde.
2. Vamos a Madrid . . . visitar la ciudad.
3. No trabajan . . . las mañanas.
4. Compro un billete . . . Toledo.
5. Necesitamos pescado . . . la cena.
6. Vamos a la playa . . . tomar el sol.
7. Me llama . . . teléfono . . . invitarme a su fiesta.

Exercício 6

Use a forma verbal correta.

Inma (ser) enfermera y Paco (estudiar) informática. Los dos (ser) buenos amigos. (Conocerse) bien. (Encontrarse) a menudo para ir al cine o al teatro. Inma (trabajar) cerca de la calle donde (vivir) Paco. Por las tardes (soler) ir de paseo. (Estudiar) inglés porque (querer) ir a Estados Unidos.

Vocabulário — Lição 10

a menudo	com frequência
acento *m*	sotaque
algo es un rollo	algo é chato
antiguo, -a	antigo, -a
ayuda *f*	ajuda
cada	cada
cada dos horas	a cada duas horas
caro, -a	caro, -a
casi nunca	quase nunca
castellano *m*	castelhano (espanhol)
catedral *f*	catedral
comenzar (-ie-)	começar
conocer (-zc-)	conhecer
cuenta *f*	conta
de vez en cuando	de vez em quando
diferente	diferente
divertido, -a	divertido, -a,
dormir (-ue-)	dormir
encontrarse (-ue-)	encontrar-se
época *f* del año	época do ano
estudiar	estudar, aprender
excursión *f*	excursão
grupo *m*	grupo
guía *m*	guia turístico
hotel *m*	hotel
información *f*	informação
informática *f*	informática
la primera vez	pela primeira vez
lo hago por mi cuenta	faço por conta própria
lugar *m*	lugar
¿No le parece?	Você não acha?
ofrecer (-zc-)	oferecer
organizar	organizar
parecer (-zc-)	parecer
parte *f*	parte
perdiz *f*	perdiz
plano *m* de la ciudad	mapa da cidade
por Dios	pelo amor de Deus
por fin	finalmente
porque	porque
problema *m*	problema
quisiera	gostaria
rara vez	raramente
turístico, -a	turístico, -a
verdad *f*	verdade
vía *f* aérea	via aérea
visita *f*	visita
visitar	visitar

Lição 10 — Vocabulário, país e cultura

Vocabulário adicional

De sempre até nunca

++++	siempre	sempre
+++	casi siempre	quase sempre
++	a menudo	com frequência
+	a veces	às vezes
+-	de vez en cuando	de vez em quando
--	rara vez	raramente
---	casi nunca	quase nunca
----	nunca	nunca

Alcázar

Alcázar é o nome dos palácios, castelos e fortificações espanhóis que foram construídos depois da invasão dos mouros em 711 d.C.
Essa arquitetura é caracterizada por construções de tijolos com diversos pátios internos. Os **Alcázares** mais famosos são os de Toledo, Sevilha e Segóvia.

LIÇÃO 11

La primera cita de Karen

Lucía: Karen, ¿quién es ese chico de Toledo?
Karen: Se llama Carlos Martini, es argentino, da clases de tenis. Quiere salir conmigo.
Lucía: ¿Contigo? ... huy. ¿Es guapo?
Karen: Sí, es interesante y guapo.
Suena el teléfono.
Pedro: ¡Dígame!
Carlos: Oiga, por favor, ¿está Karen en casa?
Pedro: ¿De parte de quién?
Carlos: De Carlos Martini.
Pedro: Sí, un momento ... Karen, es para Ud.
Karen: Hola, ¿quién habla?
Carlos: Soy yo, Carlos.
Karen: Ah ... hola Carlos, ¿cómo estás?
Carlos: Bien, gracias. ¿Y tú?
Karen: Gracias, muy bien.
Carlos: ¿Qué vas a hacer esta tarde? ¿Tienes ganas de salir conmigo?

Lição 11 Diálogo

Karen:	Esta tarde voy a ir a la escuela.
Carlos:	Después de tus clases podemos encontrarnos, ¿no?
Karen:	Sí, vale. ¿Qué vamos a hacer?
Carlos:	¿Conoces el café Triana que está cerca de la universidad?
Karen:	Sí, lo conozco.
Carlos:	¿Por qué no nos encontramos allí?
Karen:	¿A qué hora?
Carlos:	¿Te parece bien a las 7.00 de la tarde?
Karen:	Está bien, a las 7.00. Voy a estar delante de la puerta.

Karen llega a las 7.15 al café Triana. Carlos la espera.

Karen:	Perdón, Carlos ... llego tarde. No es mi culpa, es culpa del autobús. A esta hora hay un tráfico increíble. Lo siento mucho.
Carlos:	Bueno, los hombres estamos acostumbrados a esperar a las mujeres ...

O primeiro encontro de Karen

Lucía:	Karen, quem é esse rapaz de Toledo?
Karen:	O nome dele é Carlos Martini, ele é argentino, dá aulas de tênis. Ele quer sair comigo.
Lucía:	Com você? ... Uau. Ele é bonito?
Karen:	Sim, é interessante e bonito.

O telefone toca.

Pedro:	Alô!
Carlos:	Olá, por favor. Karen está?
Pedro:	Quem fala?
Carlos:	Carlos Martini.
Pedro:	Sim, um momento ... Karen, é para você.
Karen:	Alô, quem fala?
Carlos:	Sou eu, Carlos.
Karen:	Ah ... oi, Carlos, como vai?
Carlos:	Bem, obrigado, e você?

Diálogo, gramática — Lição 11

Karen: Muito bem, obrigada.
Carlos: O que você vai fazer esta tarde? Quer sair comigo?
Karen: Esta tarde vou à escola.
Carlos: Podemos nos encontrar depois da aula, não?
Karen: Sim, pode ser. O que vamos fazer?
Carlos: Você conhece o Café Triana, perto da universidade?
Karen: Conheço, sim.
Carlos: Por que não nos encontramos lá?
Karen: A que horas?
Carlos: Às 7h da noite está bom para você?
Karen: Às 7h está bom. Estarei em frente à porta.

Karen chega ao Café Triana às 7h15. Carlos a espera.
Karen: Desculpe-me, Carlos... Estou atrasada. Não é minha culpa, é culpa do ônibus. O trânsito a essa hora é inacreditável. Sinto muito.
Carlos: Tudo bem, nós, homens, estamos acostumados a esperar pelas mulheres...

Dar dar

doy	eu dou	**damos**	nós damos
das	tu dás	**dais**	vós dais
da	ele/ela dá, o Sr., a Sra. *(formal)* dá você *(informal)* dá	**dan**	eles/elas, os Srs., as Sras. *(formal)* dão vocês *(informal)* dão

Você notou a semelhança? O verbo irregular **dar** é conjugado exatamente como **ir**. (Veja Lição 3.) É só trocar o **v** pelo **d**.

Salir sair

salgo eu saio		**salimos** al teatro
sales a la calle		**salís** de casa
sale a bailar		**salen** todas las noches

■ **Salir** é outro verbo com **-g-** na **1ª pessoa do singular**!

NOVENTA Y NUEVE

Lição 11

Gramática, exercício

> **con** + **mi** = **conmigo** comigo
> **con** + **ti** = **contigo** contigo
> **con** + **sí** = **consigo** consigo
>
> Só quando combinada com **mi**, **ti** e **sí** é que a preposição **con** assume essa forma especial. Com todos os outros pronomes pessoais, o **con** permanece **inalterado**: con él, con ella, con Uds.

Exercício 1

Selecione as combinações adequadas.

1. ¿Viene solo o ... ?
 a con ti
 b con tú
 c contigo

2. Tenemos clases ...
 a con ella
 b conella
 c con sí

3. Habla ...
 a con sí
 b consigo
 c con lo

4. Ana pregunta ...
 a portigo
 b por ti
 c por tú

5. Hago un postre ...
 a para ella
 b para la
 c parasí

6. ¿Quieres salir esta tarde ... ?
 a con mi
 b conmigo
 c con me

A como objeto direto

> Se o **objeto direto** é uma pessoa, sempre é precedido por **a**: Esperamos **a las mujeres.** Esperamos pelas mulheres.
> Conozco **al señor García.** Conheço o Sr. García.
> Mas: Compra el periódico. Ele compra o jornal.

Gramática, exercício — Lição 11

> ■ A regra anterior não se aplica ao verbo **tener**:
>
> **Tienes una madre simpática.** Você tem uma mãe simpática.

Exercício 2

Coloque *a* quando necessário.

1. ¿Conoces ... mi padre?
2. Tengo ... un hermano y ... dos hermanas.
3. ¿Conoces ... esta calle?
4. La madre quiere mucho ... su hija.
5. No conozco ... este señor.
6. Visitamos ... la ciudad de Toledo.
7. Compran ... un plano de la ciudad.
8. Carlos espera ... Karen.
9. Eso ... mí me interesa mucho.

Nós, espanhóis...

> Se quem está falando se inclui na afirmação, o verbo estará na 1ª pessoa do plural em vez da 3ª:
>
> *los hombres est**amos** acostumbrados ...*
> **nós, homens**, estamos acostumados a ...
> **mas:** *los hombres est**án** acostumbrados ...*
> **(os) homens** estão acostumados a ...

Exercício 3

Passe para o espanhol.

Nós, espanhóis, amamos a vida.
Gostamos de festas e saboreamos o xerez.
É assim que os espanhóis somos.
Você conhece espanhóis?

Lição 11   Exercício

Exercício 4

Complete as sentenças com o verbo adequado no presente.
hacer, estar, parecer, ir, salir, dar, tener, poner, conocer, saber

1. Yo le ... muy bien.
2. ¿Qué ... (vosotros) todos los días por la mañana?
3. ¿(Nosotros) ... a tomar un café?
4. ¿Cuántos gramos de queso le ... (yo)?
5. Me ... muy bien.
6. (Yo) ... a las cinco y media de la oficina.
7. Los españoles ... acostumbrados al sol.
8. (Ellos) ... ganas de ir a España.
9. (Yo) ... clases de español.
10. No lo ... de verdad.

Exercício 5

Relacione as frases a seguir.

1. ¿Puede esperar un poco?   Soy yo.
2. ¿De parte de quién?   Sí, con gusto.
3. ¿Quién habla?   De Carlos Martini.
4. Hola, ¿cómo estás?   Sí, está bien.
5. ¿A qué hora?   Muy bien, gracias.
6. ¿Te parece bien?   A las 7.00 en punto.
7. ¿Quieres salir conmigo?   Sí, lo conozco.
8. ¿Conoces el Café Triana?   Sí, un momento.

Exercício, vocabulário — Lição 11

Exercício 6

Preencha com as formas verbais correspondentes.

	tú	nosotros	ustedes
dar			
salir			
ir			
parecer			
conocer			
dormir			
querer			
ser			

Vocabulário

acostumbrado, -a	acostumado
café m	café
chico m	menino, rapaz, garoto
cita f	encontro
clases f pl **de tenis**	aulas de tênis
culpa f	culpa
dar	dar
delante de	em frente a
¿De parte de quién?	literalmente: De quem? (*aqui:*) Quem fala?
¡Dígame!	literalmente: Diga-me! (ao atender ao telefone)
escuela f	escola
esperar	esperar
estar acostumbrado a alguna cosa	estar acostumado a alguma coisa
gana f	vontade
guapo, -a	bonito, -a
hombre m	homem, ser humano
increíble	incrível, inacreditável
llegar	chegar
llego tarde	chego atrasado
momento m	momento
mujer f	mulher
¡Oiga!	literalmente: Ouça!
¿Por qué no?	Por que não?
salir (-g-)	sair
sonar (-ue-)	tocar
tener ganas de	ter vontade de

CIENTO TRES

Lição 11 — Vocabulário, país e cultura

¿Te parece bien?	Você concorda …?	**universidad** f	universidade
		¡Vale!	Está bem!

Vocabulário adicional

¡Perdón!	Com licença!
¡Lo siento mucho!	Sinto muito!
¡Lo siento, pero no es posible!	Me desculpe, mas não é possível!
¡Qué lástima!	Que pena!

Comunicação

Na Espanha ainda há cabines telefônicas em quase todas as esquinas. Telefones celulares, porém, também são onipresentes na Espanha.

Quando fizer uma ligação, as frases mais usadas são *¡Oiga!* e *¡Diga!* e/ou *¡Dígame!* (equivalem a Alô!, em português). As duas expressões possivelmente vêm do tempo em que as conexões telefônicas ainda eram feitas por telefonistas e a qualidade acústica era bem ruim.

A expressão *vale* é usada no espanhol coloquial para indicar o consentimento ou concordância em variadas situações e significa "tudo bem, de acordo". Experimente você também em uma situação real! *¿Vale?*

Visita a la ciudad

Pedro: Karen, vamos a hacer una visita a la ciudad. Todavía no ha visitado las partes históricas y famosas de Madrid.
Karen: Con mucho gusto. ¿Qué cosas dignas de ver hay aquí?
Pedro: Vamos hasta la calle Toledo para visitar la iglesia de San Isidro, para los madrileños es la catedral.
Karen: ¿De qué época es?
Pedro: Es del siglo XVII. San Isidro es el patrón de Madrid.

En la iglesia.
Karen: ¡Qué preciosa! No he visitado una igual. ¿Adónde vamos?
Pedro: Ahora vamos a la plaza de la Cibeles.
Karen: ¿En qué dirección está?
Pedro: En principio, todo recto.
Karen: ¿Pasamos también por la calle Alcalá?

Lição 12 Diálogo

Pedro: Claro. Empieza en la Plaza de la Cibeles. En esta calle están los bancos, las tiendas elegantes y los comercios caros. ¡Atención vamos a cruzar!
Karen: ¡Qué interesante! Quisiera visitar también el famoso Museo del Prado.
Pedro: Estamos cerca de la Plaza Cánovas del Castillo, y luego pasamos al Prado.

En el museo.
Pedro: Estos cuadros reflejan la grandeza e importancia histórica de España. Me encantan. Las obras de Goya son geniales.
Karen: ¡Qué impresionante! ¿Se pueden tomar fotografías aquí?
Pedro: No, está prohibido, lo siento.
Karen: ¡Qué lástima! ¿Quién ha pintado este cuadro?
Pedro: Es de Velázquez, ¿le gusta?
Karen: Sí, me impresiona mucho. Estoy un poco cansada, hemos caminado todo el día.
Pedro: ¿Ha probado ya las tapas madrileñas? Hay un bar cerca de aquí. He comido allí unas tapas excelentes. Podemos ir a probarlas.
Karen: ¡Vale! Buena idea.

Visita à cidade

Pedro: Karen, vamos fazer um tour pela cidade. Você ainda não viu as partes históricas e famosas de Madri.
Karen: Gostaria muito. O que vale a pena conhecer?
Pedro: Vamos até a rua Toledo para visitar a igreja de San Isidro, que é a catedral para os madrilenos.
Karen: De que época é?
Pedro: É do século XVII. San Isidro é o santo padroeiro de Madri.

Diálogo   Lição 12

Na igreja.
Karen: Que linda! Nunca visitei uma igreja como esta. Onde vamos agora?
Pedro: Agora vamos à Plaza de la Cibeles.
Karen: Em que direção está?
Pedro: A princípio, sempre em frente.
Karen: Vamos passar também pela calle Alcalá?
Pedro: Claro. Começa na Plaza de la Cibeles. Nessa rua estão os bancos, as lojas chiques e o comércio caro. Cuidado, vamos atravessar!
Karen: Que interessante! Gostaria de visitar também o famoso Museu do Prado.
Pedro: Estamos perto da Plaza Cánovas del Castillo e em seguida vamos ao Prado.

No museu.
Pedro: Esses quadros refletem a grandeza e a importância histórica da Espanha. Eu adoro. As obras de Goya são geniais.
Karen: Que impressionante! É permitido tirar fotos aqui?
Pedro: Não, é proibido, me desculpe.
Karen: Que pena! Quem pintou esse quadro?
Pedro: É do Velázquez. Você gosta?
Karen: Sim, estou muito impressionada. Estou um pouco cansada, andamos o dia todo.
Pedro: Você já experimentou os aperitivos madrilenos? Tem um bar aqui perto. Já comi uns aperitivos excelentes ali. Podemos experimentar.
Karen: Está bem! Boa ideia.

Lição 12 — Gramática, exercício

Particípio passado

hablar	comer	vivir
hablado falado	comido comido	vivido vivido

Verbos terminados em: -ar → -ado
-er → -ido
-ir → -ido

O particípio passado dos verbos terminados em **-ar** se torna **-ado**; os que terminam em **-er** e **-ir** mudam para **-ido**.

O particípio passado assume o **gênero** e o **número** do substantivo ao qual está relacionado:
las leng**uas** hablad**as** as línguas faladas

Exercício 1

Forme o particípio passado desses verbos.

comer, querer, hablar, caminar, venir, trabajar, dormir, levantar, conocer, visitar

....
....
....

Exercício 2

Escreva o particípio passado dos verbos em itálico.

1. Parece interesante, pero es muy *aburrir*.
2. *Afeitar* parece más joven.
3. Las camas están *arreglar*.
4. ¡Está *prohibir* fumar!
5. (Ella) Se queda *impresionar*.
6. Las canciones *cantar* son preciosas.

Gramática, exercício   Lição 12

> **Pretérito perfeito do indicativo**
>
> Presente de **haber** + particípio passado
> **he** tomado Eu tomei   **hemos** tomado Nós tomamos
> **has** tomado   **habéis** tomado
> **ha** tomado   **han** tomado
>
> Você já conhece a forma impessoal **hay** do verbo **haber** das Lições 3 e 5.
>
> **haber** + particípio passado nunca se separam
> No me **he lavado** hoy.   Não me lavei hoje.
>
> O pretérito perfeito significa **uma ação que terminou**, mas que está **relacionada ainda com o presente**:
> **Hemos llegado.**   Estamos **aquí.**
> (Chegamos.)   (Estamos aqui.)
>
> O pretérito perfeito é usado com expressões de tempo:
> **hoy** (hoje), **esta mañana** (esta manhã),
> **esta semana** (esta semana), **este año** (este ano),
> **todavía** (ainda), **ya** (já), **hace poco** (há pouco tempo).
>
> ■ O **particípio passado** permanece **inalterado no pretérito perfeito!**
> **He lavado** la ropa.   Lavei roupa.

Reescreva as frases no pretérito perfeito.

Comes mucho. Has comido mucho.

1. Hablas mucho ....

2. No tengo tiempo ....

3. ¿Estás en casa? ....

4. ¿Compras el periódico hoy? ....

5. ¿Arregláis las camas por la mañana? ....

6. Desayunamos muy poco. ....

Exercício 3

Lição 12 — Gramática, exercício

Ver ver

veo eu vejo
ves tu vês
ve ele/ela vê,
o Sr., a Sra. *(form.)* vê
você *(inform.)* vê

vemos nós vemos
veis vós vedes
ven eles/elas,
os Srs., as Sras. *(form.)* veem
vocês *(inform.)* veem

Y → e

Antes de **i-/hi-**, a conjunção **y** (e) se torna **e**:
la importancia **y** *grandeza* mas: *la grandeza* **e** *importancia*
es interesante **y** *guapo* mas: *es guapo* **e** *interesante*

Exercício 4

Y ou **e**?

En abril voy a estudiar español ... alemán. Para ello voy a ir primero a España ... luego a Alemania. He estudiado ya una vez estas lenguas ... también el francés pero quiero mejorarlas. España ... Alemania son países interesantes ... importantes.

Exclamações

¡Qué + adjetivo (+ verbo)!
¡Qué + substantivo (+ verbo)!
¡Qué *preciosa es!*   **¡Qué** *preciosa!*
¡Qué *interesante es!*   **¡Qué** *interesante!*
¡Qué *hambre tengo!*   **¡Qué** *hambre!*

Exercício 5

Reescreva as frases seguindo o exemplo:

La Sra. Goméz es muy buena. ¡Qué buena es la Sra. Goméz!

1. Tengo mucha sed. ....

2. Es muy rico. ....

Exercício, vocabulário   Lição 12

3. Esta chica es muy guapa. ....
4. Esta mujer está muy enferma. ....
5. La iglesia es muy impresionante. ....
6. La película es muy interesante. ....
7. El jamón está muy caro hoy. ....
8. Tengo mucha hambre. ....

Escolha que verbo – **haber** ou **tener** – fica melhor na frase.

1. Miguel ... veinte años.
2. En la calle ... mucha gente.
3. ¿... (tú) comido ya?
4. ¿... (vosotros) comprado tomates?
5. Ud. ... una mujer muy simpática.
6. ¿Por qué no ... (Uds.) venido al café hoy?
7. En la mesa ... un periódico.
8. ¡Qué hambre ... (yo)!

Exercício 6

abril m	abril
afeitar(se)	barbear-se
atención f	atenção
banco m	banco
caminar	caminhar
comercio m	comércio, loja
con mucho gusto	gostaria muito
cosas f pl **dignas de ver**	locais que valem ser vistos
cruzar	cruzar
cuadro m	quadro
digno, -a	digno, que vale a pena
dirección f	direção, sentido
elegante	elegante
en principio	a princípio
época f	época
fotografía f	foto
genial	genial
grandeza f	grandeza
haber	haver
histórico, -a	histórico
igual	igual
importancia f	importância

Lição 12 — Vocabulário, país e cultura

impresionante	impressionante	prohibido, -a	proibido, -a
		¡Qué lástima!	Que pena!
impresionar	impressionar	reflejar	refletir
me encantan	(*aquí:*) eu adoro	siglo *m*	século
		tapa *f*	aperitivo, petisco
mejorar	melhorar		
museo *m*	museu	tienda *f*	loja
obra *f*	obra	todavía no	ainda não
pasar	passar	todo recto	em frente
patrón *m*	santo padroeiro	tomar fotografías *f*	tomar fotos
precioso, -a	valioso (*aquí:*) lindo	una igual	uma igual
		visitar	visitar

Las tapas

Você conhece as **tapas**, que Pedro tinha tanta vontade de mostrar a Karen? São aperitivos deliciosos pedidos para acompanhar um copo de cerveja **(caña)** ou uma taça de vinho **(chato)**. A maioria dos bares serve *tapas* como peixes **(boquerones)**, queijo **(queso)**, azeitonas **(aceitunas)** ou presunto **(jamón)**. Outras alternativas típicas incluem almôndegas **(albóndigas)** ou batatas fritas com molho picante **(patatas bravas)**, assim como as onipresentes **tortillas.** Na verdade, cada bar tem suas próprias *tapas*.

En el restaurante

13

Carlos: Hemos reservado una mesa para dos personas.
Camarero: ¿A nombre de quién?
Carlos: A nombre de Martini.
Camarero: Sí, dos personas... por aquí, por favor.
Karen: ¡Qué hambre tengo! No he comido nada esta tarde.
Carlos: Yo no he comido tampoco.
Camarero: Señores, la carta.

Después de unos minutos vuelve el camarero.
Camarero: ¿Han decidido ya?... ¿Qué van a tomar?
Karen: Los calamares me encantan... Sí, calamares a la romana, y de primero gambas al ajillo, por favor.

Lição 13 — Diálogo

Carlos: Yo tomo de primero... una crema de espárragos y de segundo una parrillada de pescado.
Camarero: ¿Y para beber?
Karen: Bueno, yo quisiera una sangría.
Carlos: Para mí una cerveza de barril, por favor.

El camarero sirve la comida y las bebidas.
Karen: Mmmm,... me encanta el ajo.
Carlos: ¡Qué buen aspecto tiene!
Camarero: ¿Desean Uds. algún postre? ¿Un café...?
Karen: Sí, para mí un flan con nata, por favor.
Carlos: Un coñac, por favor.
Camarero: ¿Algún coñac especial?
Carlos: No me apetece ninguno especial, la marca de la casa. Karen, ¿qué tal has comido?
Karen: Nunca he comido tan bien. La comida es buena aquí... ¡Oh, qué tarde es! ¿Pedimos la cuenta?
Carlos: Sí. Camarero, la cuenta, por favor.

El camarero deja la cuenta y se va.
Karen: Carlos, yo pago mi parte, por favor.
Carlos: No, te invito yo.
Karen: Pues, muchas gracias... ¿Cuánto se da de propina en España?
Carlos: Entre el 5 y 10 por ciento, dejamos 4 euros, ¿vale?
Karen: Está bien.

No restaurante

Carlos: Reservamos uma mesa para dois.
Garçom: Em nome de quem?
Carlos: Martini.
Garçom: Sim, uma mesa para dois... por aqui, por favor.
Karen: Nossa, que fome! Não comi nada esta tarde.

Diálogo — Lição 13

Carlos: Eu também não comi nada.
Garçom: Aqui está o cardápio.

O garçom volta depois de alguns minutos.
Garçom: Já se decidiram? ... O que vão querer?
Karen: Eu gosto de lula ... sim, lula frita e os camarões com alho de entrada, por favor.
Carlos: De entrada vou tomar ... a sopa creme de aspargos e, como prato principal, peixe grelhado.
Garçom: E para beber?
Karen: Bem, gostaria de sangria.
Carlos: E para mim um chope, por favor.

O garçom serve a comida e as bebidas.
Karen: Mmm... gosto muito de alho.
Carlos: Parece muito bom mesmo!
Garçom: Desejam alguma sobremesa? Café ... ?
Karen: Sim, para mim um pudim de leite com chantilly, por favor.
Carlos: Um conhaque, por favor.
Garçom: Um conhaque especial?
Carlos: Não, nada de especial. A marca da casa.
Karen, comeu bem?
Karen: Nunca tinha almoçado tão bem. A comida aqui é boa ... Oh, que tarde! Pedimos a conta?
Carlos: Sim. Garçom, a conta, por favor.

O garçom traz a conta e sai.
Karen: Carlos, eu pago minha parte, por favor.
Carlos: Não, eu te convido.
Karen: Então muito obrigada. Quanto se dá de gorjeta na Espanha?
Carlos: Entre 5 e 10 por cento. Deixamos 4 euros, certo?
Karen: Está bem.

CIENTO QUINCE

¿Dónde comer en España?

La **cafetería** ofrece pasteles, helados, bocadillos, batidos.

El **bar** español ofrece una gran variedad de tapas y bebidas. Aquí se puede tomar una pequeña comida, sin pretensiones grandes.

El **mesón** está especializado en la cocina local. Es un restaurante de decorado rústico.

La **hostería** es un restaurante típico que ofrece excelentes platos regionales.

Las **tascas** son típicas madrileñas para tomar tapas.

En la **taberna** se puede tomar una copa, se charla. A veces ofrecen algo para comer.

El **restaurante** tiene una carta variada así como un menú turístico a precio fijo.

En la **casa de comidas** sirven una comida sencilla y familiar, están cerca de las estaciones de tren.

Las **ventas** son restaurantes especializados en productos de caza, están alrededor de las grandes ciudades.

Exercício 1

Certo ou errado? Assinale a resposta certa.

	Sí	No
1. Las tascas están alrededor de las grandes ciudades.		
2. Si queremos algunas tapas vamos a la cafetería.		
3. La hostería ofrece platos de la región.		
4. Las ventas ofrecen un menú turístico.		
5. El bar ofrece una variedad de tapas y bebidas.		
6. El mesón ofrece una carta variada a precio fijo.		
7. En la taberna siempre hay algo para comer.		
8. En una cafetería se pueden comer bocadillos.		

Gramática, exercício · Lição 13

Verbos cujo radical muda de e para i

servir (servir)
sirvo
sirves
sirve
servimos
servís
sirven

pedir (pedir)
pido
pides
pide
pedimos
pedís
piden

Neste grupo de verbos, o **e** do **radical** se transforma em **i** nas formas em que o radical é a sílaba tônica.

Conjugue como no exemplo.

comer	como	coméis	comes	comemos
1. ver				
2. pedir				
3. salir				
4. servir				

Exercício 2

Pronomes indefinidos

algo, alguno, alguna, algunos, algunas, alguien
(algo, algum, alguma, alguns, algumas, alguém)

nada, ninguno, ninguna, ningunos, ningunas, nadie
(nada, nenhum, nenhuma, nenhuns, nenhumas, ninguém)

¿Quiere **algo** más?
¿Desean **alguna** cosa más?
¿Quiere **algún** coñac especial?
¿Has encontrado a **alguien**?

¿Has comprado **algunos** libros?

No, **nada** más.
No, **ninguna** más.
No, **ninguno** especial.
No, no he encontrado a **nadie**.
No, no he comprado **ninguno**.

As formas no plural **ningunos/-as** quase nunca são usadas. No lugar se usam as formas no singular.

Lição 13

Gramática, exercício

> ■ Diante de substantivos masculinos, **alguno** se torna **algún** e **ninguno** se torna **ningún**:
> ¿**Algún** coñac? **Ningún** amigo me ayuda.

Exercício 3

Complete com
algo, nada, alguien, alguno, -a, ninguno, -a, ou **algunos, -as.**

1. ¿Hay ... en la mesa?
2. No conozco a ... hombre como él.
3. No sabe ...
4. ... trenes salen toda la noche.
5. ¿Hay ... parque por aquí?
6. ... de estas casas me gusta.
7. ¿Esperas a ...?

Duplas negativas

no + verbo + **nada** (nada)
 nadie (ninguém)
 nunca (nunca)
 tampoco (tampouco, também não, nem)
 ninguno, -a (nenhum, -a)

No quiero **nada** más. Não quero mais nada.
No habla con **nadie**. Ela não fala com ninguém.
No voy **nunca** a la playa. Nunca vou à praia.
Yo **no** he comido **tampoco**. Eu também não comi.
No me visita **ningún** amigo. Nenhum amigo me visita.

■ **No ... nada, nadie, nunca, tampoco, ninguno, ninguna** incluem o verbo. Se o verbo é **antecedido** por **nada, nadie** etc. o **no** desaparece: **Nunca** he comido tan bien. = Nunca comi tão bem.

Exercício, gramática, vocabulário — Lição 13

Acrescente o *no* quando necessário para completar as frases.

Exercício 4

1. ... lo sabe nadie.
2. ¡Tampoco tú ... estás en la escuela!
3. Nada ... es tan importante como tener amigos.
4. ... se acuerda nunca de su familia.
5. ... sabe nadie cocinar.
6. ... pasa nada si no vienes.

---

bien, mal – bueno, malo
estar + bien/mal   **ser + bueno/malo**

Bien e **mal** são **advérbios**. Eles costumam **definir os verbos**. Também são usados com **estar**.
Bueno e **malo** são **adjetivos**. São usado **para definir substantivos**. Geralmente são usados com **ser**.

La comida **es buena**.   *Se* **come bien** *aquí.*
El **perro es malo**.   *El traje te* **está mal**.

Bien; bueno, -a; mal* ou *malo, -a?

Exercício 5

1. El postre es (bien/bueno) ...
2. No estoy (bien/bueno) ... hoy.
3. La película es bastante (mal/mala) ...
4. El traje le está (mal/malo) ...

Vocabulário

acordarse	lembrar-se	**así como**	assim como
al ajillo	grelhado com alho	**aspecto** *m*	aspecto
		barril *m*	barril
alguien	alguém	**batido** *m*	vitamina
alrededor de	em torno de	**bebida** *f*	bebida
apetecer (-zc-)	gostar	**bien**	bem
aprender	aprender	**cafetería** *f*	cafeteria

CIENTO DIECINUEVE

Vocabulário

calamares *m pl* **a la romana**	lula empanada e frita	**marca** *f*	marca
camarero *m*	garçom	**menú** *m* **turístico**	cardápio turístico
carta *f*	cardápio	**mesón** *m*	restaurante com decoração rústica que serve pratos locais
casa *f* **de comidas**	lugar para comer		
caza *f*	caça		
cerveza *f* **de barril**	chope	**nadie**	ninguém
		nata *f*	chantilly
charlar	conversar	**ninguno, -a**	nenhum, -a
coñac *m*	conhaque	**nunca**	nunca
copa *f*	taça de vinho	**pagar**	pagar
crema *f*	sopa creme	**parrillada** *f*	na grelha
cuenta *f*	conta	**pasar**	passar
decorado *m*	decoração	**pastel** *m*	bolo, torta
dejar	deixar (para trás)	**pedir (-i-)**	pedir
		pescado *m*	prato de peixe
¿De quién?	De quem?		
después de	depois de	**por ciento** *m*	por cento
encantar	gostar	**precio** *m* **fijo**	preço fixo
entre	entre	**propina** *f*	gorjeta
espárrago *m*	aspargo	**¿Qué tal has comido?**	Comeu bem?
especial	especial		
especializarse en	especializar-se em	**sangría** *f*	sangria
		sencillo, -a	simples
flan *m*	pudim de leite	**servir (-i-)**	servir
		taberna *f*	bar de vinho
gamba *f*	camarão	**tasca** *f*	taberna
helado *m*	sorvete	**variado, -a**	variado, -a
hostería *f*	restaurante descontraído que serve pratos locais	**variedad** *f*	variedade
		ventas *f pl*	restaurante especializado em carne de caça
importante	importante		
local	local	**volver (-ue-)**	voltar

Una situación desagradable

14

Karen en el parque.
Karen: ¡Fuera de aquí! ¡Eso no se hace!
El ama: ¡Fito ... aquí! ¡Por Dios! Señorita, lo siento mucho.
Karen: ¡Oh, mis pantalones blancos! Son nuevos.
El ama: ¡No sé cómo ha podido pasar esto! Fito normalmente es un perrito pacífico. Lo siento de verdad.
Karen: Tranquila, no tiene que preocuparse.
El ama: Desvergonzado, ¿qué has hecho? Con tanta gente se pone naturalmente un poco nervioso. ¿Desea anotar mi número de teléfono? Puede llamarme si tiene problemas con el lavado.
Karen: No, creo que no hace falta.
El ama: ¡Tengo que pedirle excusas!

Lição 14 — Diálogo

En casa.
Carmen: Lucía, ¿dónde está Karen?
Lucía: Ha salido para dar un paseo por el parque.
Carmen: Pero no me ha dicho absolutamente nada.
Lucía: Ha escrito una nota, y la ha puesto sobre la mesa.
Carmen: Pues, no la he visto ...
Lucía: ¡Mamá ... aquí está Karen, ya ha vuelto!
Carmen: Karen, pero ... ¿qué ha hecho con esos pantalones blancos? ¿Qué ha pasado?
Karen: Un perrito me ha ladrado y saltado en el parque con las patas húmedas.
Carmen: ¿No ha sido de nadie?
Karen: Sí, la señora se ha excusado mil veces.
Lucía: Has tenido suerte porque no te ha mordido. Pero, perro que ladra no muerde.
Karen: Generalmente, yo no tengo miedo a los perros, pero Fito me ha saltado tan rápidamente ...
Lucía: ¿Fito? Es el perrito de Doña Inés. Es pequeñito e inofensivo, siempre saluda alegremente a la gente.

Uma situação desagradável

Karen no parque.
Karen: Fora daqui! Não faça isso!
Dona do cão: Fito ... aqui! Pelo amor de Deus! Senhorita, eu sinto muito.
Karen: Minhas calças brancas! São novas.
Dona do cão: Não sei como isso foi acontecer! Fito normalmente é um cãozinho pacífico. Eu realmente sinto muito.
Karen: Tudo bem, não precisa se preocupar.
Dona do cão: Cachorro sem-vergonha! O que foi fazer?
Ele fica um pouco nervoso com tanta gente ao redor. Quer anotar o número do meu telefone? Pode me ligar se tiver problemas ao lavar a calça.
Karen: Não, acho que não é necessário.
Dona do cão: Preciso me desculpar!

Diálogo, gramática   Lição 14

Em casa.
Carmen: Lucía, onde está a Karen?
Lucía: Saiu para passear no parque.
Carmen: Mas ela não comentou nada comigo.
Lucía: Ela escreveu um bilhete e o deixou sobre a mesa.
Carmen: Bom, eu não vi ...
Lucía: Mãe, ... a Karen está aqui; ela já voltou!
Carmen: Karen, mas ... o que houve com essas calças brancas? O que aconteceu?
Karen: Um cachorrinho latiu para mim no parque e pulou nas minhas calças com as patas molhadas.
Carmen: Não era de ninguém?
Karen: Ah, sim, a mulher se desculpou mil vezes.
Lucía: Sorte que ele não te mordeu. Mas cão que ladra não morde.
Karen: Geralmente não tenho medo de cachorro. Mas o Fito pulou em mim tão rápido ...
Lucía: Fito? É o cachorrinho de Dona Inés. É pequenininho e inofensivo; sempre cumprimenta as pessoas alegremente.

Particípio passado irregular

O particípio passado de alguns verbos é bem irregular:

hacer **hecho**   poner **puesto**
decir **dicho**   volver **vuelto**
ver **visto**   escribir **escrito**
abrir **abierto**   romper **roto**
ser **sido**   ir **ido**

Lição 14 — Exercício, gramática

Exercício 1

Complete com o particípio passado dos verbos.

ser .... ver ....
poner .... volver ....
ir .... dar ....
hacer .... escribir ....

Advérbios

Os advérbios especificam as **circunstâncias de uma ação**:

Onde? *aquí* (aqui), *allí* (ali), *enfrente* (em frente), *arriba* (acima)
Quando? *hoy* (hoje), *ahora* (agora), *antes* (antes), *pronto* (imediatamente), *temprano* (cedo), *tarde* (tarde), *mañana* (amanhã)
Como? *bien* (bem), *mal* (mal), *así* (assim), *alto* (alto)
Quanto? *mucho* (muito), *tanto* (tanto), *bastante* (bastante)

Alguns advérbios podem ser derivados de adjetivos:
adjetivo feminino + -mente = advérbio
rápidamente, absolutamente, normalmente, generalmente

A regra para **advérbios** é clara. Eles permanecem **inalterados** e são colocados **depois de um verbo** ou **em seguida do adjetivo** ou **outro advérbio**.
p. ex. *El perro se pone **naturalmente** un poco nervioso.*

Exercício 2

Forme advérbios com *-mente*.

1. Tienes que empezar a trabajar (inmediato).
2. La casa se encuentra (difícil) de noche.
3. (General) se levantan a las 8.00 de la mañana.
4. Lo hacemos todo (rápido).
5. Fito (normal) es un perro pacífico.
6. No saben (absoluto) nada.

Exercício, gramática Lição 14

O que combina? Forme frases completas.

1. ¿Llegas a las once en punto? generalmente.
2. Voy a llamarla difícilmente.
3. Esto se puede hacer sm̄o cómodamente.
4. Los niños saludan directamente.
5. Se ha acostado Sí, exactamente.
6. No tengo miedo automáticamente.
7. La puerta se abre amablemente.
8. En el tren se viaja tranquilamente.

Exercício 3

Diminutivos

*per**rito**, **-ita*** = cãozinho
*pequeñ**ito**, **-ita*** = pequeno

O diminutivo se aplica a **substantivos e adjetivos** e está ligado ao radical da palavra. Eles concordam em gênero e número com o substantivo ao qual se relacionam. Os diminutivos são usados para descrever algo menor, mas também para dar um ar mais suave e gentil.

Como se diz em espanhol?

Fito é um cãozinho. Normalmente ele é um animalzinho bem-comportado. Ele tem as patas molhadas. Karen geralmente não tem medo de cães. Fito saúda as pessoas alegremente.

Exercício 4

CIENTO VEINTICINCO

Lição 14 Exercício, vocabulário

Exercício 5

Infinitivo ou particípio passado?

1. Tengo que (trabajar) mucho esta semana.
2. Se ha (levantar) a las nueve.
3. Hay que (practicar) una lengua.
4. Voy a (comprar) billetes para el tren.
5. Karen ha (volver) ya.

Exercício 6

Qual o antônimo dos adjetivos em itálico?

1. ¿Por qué está tan *triste*?
2. Fito es un perro *grande*.
3. En España se desayuna *mucho*.
4. Este libro es *malo*.
5. Aprender el español es *fácil*.
6. La sopa está *fría*.
7. Los pantalones son *viejos*.
8. La puerta está *cerrada*.

Vocabulário

absolutamente	absoluta-mente	**desvergonzado, -a**	sem-vergonha; (*aqui:*) mau
acostarse	deitar-se, ir dormir	**excusa** *f*	desculpa
		excusarse	desculpar-se
alegre	alegre; (*aqui:*) entusiasmado	**fuera**	fora, saia!
		generalmente	geralmente
		hacer falta	ser necessário
anotar	anotar	**húmedo, -a**	úmido, -a; molhado, -a
antes	antes		
arriba	acima	**inmediato, -a**	imediato, -a
cerrar (-ie-)	fechar	**inofensivo**	inofensivo
creer	crer, acreditar	**ladrar**	ladrar, latir
de verdad	realmente	**lavado** *m*	lavagem
desagradable	desagradável	**miedo** *m*	medo

mil veces	mil vezes	practicar	praticar
morder (-ue-)	morder	preocuparse	preocupar-se
naturalmente	naturalmente	problema *m*	problema
nervioso, -a	nervoso, -a	pronto	imediata-
normalmente	normalmente		mente
nota *f*	nota	rápidamente	rapidamente
número *m* de	número de	romper	quebrar,
teléfono	telefone		estragar
pacífico, -a	pacífico, -a, amistoso, -a; (*aqui:*) bem--comportado	saltar	saltar, pular
		situación *f*	situação
		sobre	sobre
		sopa *f*	sopa
pantalones *m pl*	calças	suerte *f*	sorte
pata *f*	pata	tener miedo	ter medo
pedir excusas	desculpar-se, pedir desculpas	a alguna cosa	de alguma coisa
		tranquilo, -a	tranquilo, -a,
perro *m*	cão, cachorro		calmo, -a
pisar	pisar		

O modo de vida espanhol

Os contatos sociais e os relacionamentos entre os espanhóis, especialmente em cidades menores, parecem, para quem vem de fora, mais íntimos do que em qualquer outro lugar do mundo. Os espanhóis logo puxam conversa e parece que o sentimento de anonimato, existente no mundo ocidental, passou longe da península Ibérica.

A relação entre animais de estimação e seus donos, por outro lado, é com certeza menos afetiva. Os animais, em geral, não ficam dentro de casa.

Teste 2

As letras nas caixas das respostas corretas formam uma frase. Descubra qual é!
A solução está na página 273.

1 Escolha uma das duas respostas, então vá ao quadrado com o número de sua resposta.

2 Tengo que ir ... casa.
a ⇨ 9
en ⇨ 25

6 ¡Muy bien! T
Este libro es ... mí.
para ⇨ 14
por ⇨ 22

7 ¡Falso!
Volver al nº 19

11 ¡Muy bien! R
Vienes al cine ... ?
conmigo ⇨ 15
consigo ⇨ 16

12 ¡Falso!
Volver al nº 17

16 ¡Falso!
Volver al nº 11

17 ¡Fantástico! M
No he comido ...
nadie. ⇨ 12
nada. ⇨ 28

21 ¡Correcto! J
¿Has visto a ... ?
algún ⇨ 10
alguien ⇨ 23

22 ¡Falso!
Volver al nº 6

26 ¡Bravo! I
El tren ... salir.
va ⇨ 30
va a ⇨ 4

27 ¡Fantástico! D
Juan es un chico ...
bien. ⇨ 5
bueno. ⇨ 19

Testc 2

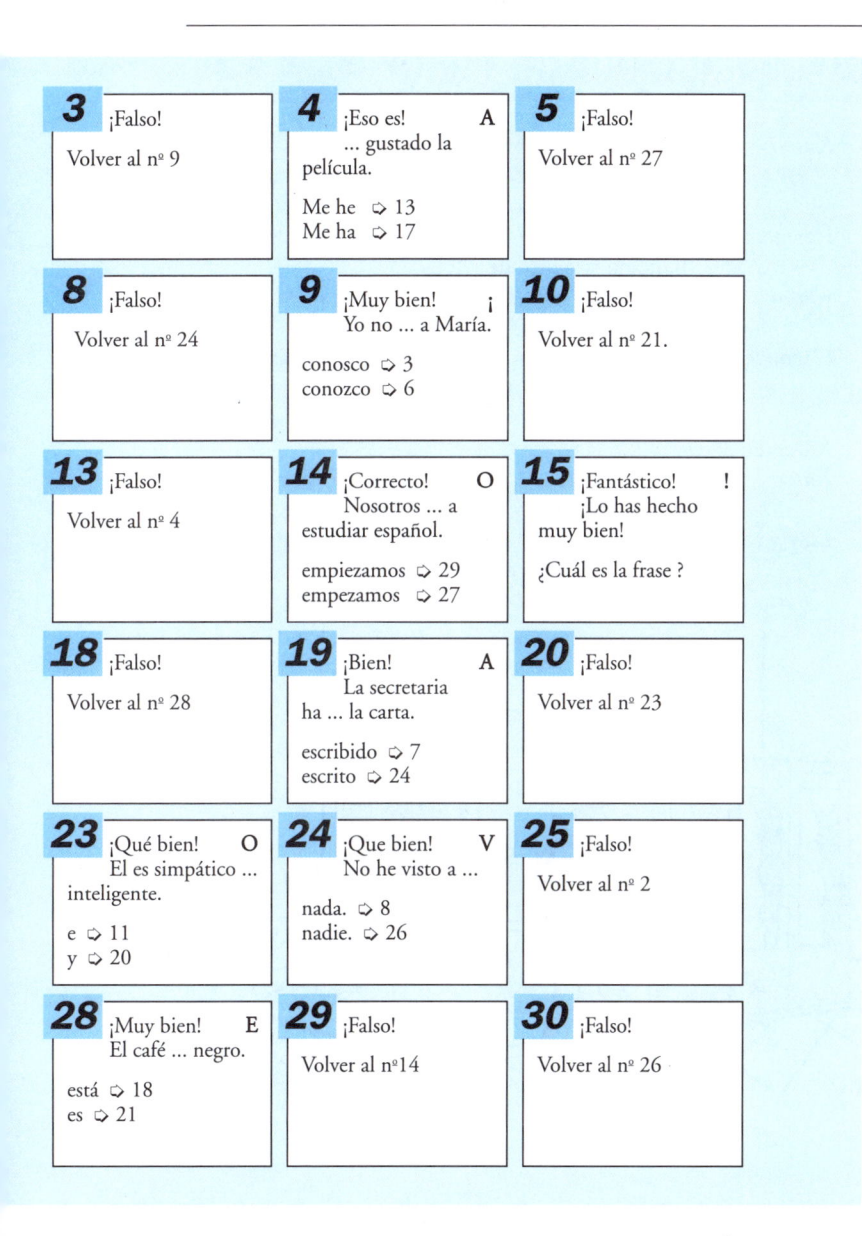

3 ¡Falso!
Volver al nº 9

4 ¡Eso es!   A
... gustado la película.
Me he ⇨ 13
Me ha ⇨ 17

5 ¡Falso!
Volver al nº 27

8 ¡Falso!
Volver al nº 24

9 ¡Muy bien!   ¡
Yo no ... a María.
conosco ⇨ 3
conozco ⇨ 6

10 ¡Falso!
Volver al nº 21.

13 ¡Falso!
Volver al nº 4

14 ¡Correcto!   O
Nosotros ... a estudiar español.
empiezamos ⇨ 29
empezamos ⇨ 27

15 ¡Fantástico!   !
¡Lo has hecho muy bien!
¿Cuál es la frase?

18 ¡Falso!
Volver al nº 28

19 ¡Bien!   A
La secretaria ha ... la carta.
escribido ⇨ 7
escrito ⇨ 24

20 ¡Falso!
Volver al nº 23

23 ¡Qué bien!   O
El es simpático ... inteligente.
e ⇨ 11
y ⇨ 20

24 ¡Que bien!   V
No he visto a ...
nada. ⇨ 8
nadie. ⇨ 26

25 ¡Falso!
Volver al nº 2

28 ¡Muy bien!   E
El café ... negro.
está ⇨ 18
es ⇨ 21

29 ¡Falso!
Volver al nº14

30 ¡Falso!
Volver al nº 26

LIÇÃO

15   Una llamada telefónica

Karen: Carmen, ¿puedo utilizar su teléfono? Quisiera llamar a mis padres. Es una llamada a cobro revertido.
Carmen: Precisamente ahora estoy esperando una llamada urgente de México.
Karen: ¿Pues, dónde está la cabina telefónica más próxima?
Carmen: Está bastante lejos, pero hay una oficina telefónica que está más cerca.

Karen en la telefónica.
Karen: Hola, buenos días. ¿Me puede dar una tarjeta telefónica?
Empleada: Ud. puede utilizar una de nuestras cabinas, no necesita tarjeta para ellas.
Karen: Muy bien. Muchas gracias.

Diálogo

> Va a una cabina telefónica, descuelga el auricular y
> marca el numero. Pasa unos minutos esperando.
>
> Karen: ¡Qué lástima! Está ocupado. Precisamente ahora mi madre está charlando con una de sus amigas. Seguramente va a seguir hablando por lo menos media hora más. Voy a llamar a Barcelona a mi amiga Manuela.
> Voz: ¡Dígame!
> Karen: Oiga, ¿puedo hablar con Manuela?
> Voz: Lo siento, está durmiendo. ¿De parte de quién?
> Karen: Soy Karen.
> Voz: ¿Puede ella volver a llamarla? ¿O desea usted dejar algún recado?
> Karen: ¿Puede decirle, por favor, que la he llamado? Voy a volver a llamarla otra vez. Gracias.
> Voz: De nada.

Uma chamada telefônica

Karen: Carmen, posso usar seu telefone? Gostaria de ligar para os meus pais. É uma chamada a cobrar.
Carmen: Exatamente neste momento estou esperando uma ligação urgente do México.
Karen: Então onde tem uma cabine telefônica por perto?
Carmen: Ela fica bem longe, mas tem uma central telefônica mais próxima.

Lição 15 — Diálogo, gramática

Karen na central telefônica.
Karen: Alô, bom dia. Pode me dar um cartão telefônico?
Funcionária: Pode usar uma de nossas cabines, não precisa de cartão para elas.
Karen: Que bom. Muito obrigada.

Karen vai para a cabine, pega o fone e digita o número. Espera alguns minutos.
Karen: Que pena! Está ocupado. Bem agora minha mãe está conversando com uma de suas amigas. Com certeza vai ficar falando por pelo menos meia hora. Vou ligar para minha amiga Manuela em Barcelona.
Voz: Alô.
Karen: Posso falar com a Manuela, por favor?
Voz: Me desculpe, ela está dormindo. Quem fala?
Karen: É a Karen.
Voz: Ela pode ligar de volta? Ou você quer deixar algum recado?
Karen: Pode dizer, por favor, que liguei? Ligo de novo outra hora. Obrigada.
Voz: De nada.

Gerúndio

cantar	**beber**	**escribir**
cant**ando**	beb**iendo**	escrib**iendo**
(cantando)	(bebendo)	(escrevendo)

O gerúndio de verbos terminados em **-ar** é **-ando**, o de verbos terminados em **-er** e **-ir** é **-iendo**.

Gramática, exercício Lição 15

Formas irregulares de gerúndio

pedir → p**i**d**iendo** dormir → d**u**rm**iendo**

venir → v**i**n**iendo** poder → p**u**d**iendo**

Em alguns verbos, a sílaba tônica **-e-** ou **-o-** do radical muda para **-i-** e/ou **-u-**. Isso inclui:
s**e**ntir → s**i**ntiendo   m**o**rir → m**u**riendo
r**e**ir → r**i**endo   s**e**guir → s**i**guiendo
d**e**cir → d**i**ciendo   rep**e**tir → rep**i**tiendo

Escreva o gerúndio dos verbos entre parênteses.

1. El chico está (comer).
2. Carlos está (tomar) una cerveza de barril.
3. Están (cantar) una canción de su región.
4. Estoy (esperar) a mi hermano.
5. La estudiante está (hacer) un ejercicio.

Exercício 1

Regras para o uso do gerúndio

O gerúndio é usado para descrever ações
a) que **estão em curso**:
estar + gerúndio = fazendo algo **naquele momento**
*Karen se **está lavando**.* = Karen está se lavando.

seguir + gerúndio = continuar a fazer algo
Sigue marcándolo *(el número).* = Ela continua discando (o número).

b) que **estão ocorrendo simultaneamente**:
*Va de paseo **cantando**.* = Ela sai para passear cantando.

Pronomes pessoais são posicionados ou **antes do verbo conjugado**, ou **ligados ao gerúndio**.
Le está dando *la mano.*   ou: ***Está dándole*** *la mano.*

Lição 15 — Exercício

Exercício 2

Responda às perguntas seguindo o exemplo.

¿Trabajas todavía en Madrid?
Sí, sigo trabajando en Madrid.

1. ¿Viven todavía en España?
2. ¿Esperas todavía en la calle?
3. ¿Venden todavía patatas?
4. ¿Duerme todavía?
5. ¿Os acostáis tarde todavía?

Exercício 3

Relacione as ações que estão acontecendo simultaneamente, como no exemplo.

ir de paseo/charlar: Va de paseo charlando.

1. entrar en el bar/pedir cerveza
   ....
2. marcar los números/repetirlos
   ....
3. volver a buscar el bolso/no poder encontrarlo
   ....
4. salir de la escuela/correr
   ....
5. saludar/hacer una señal con la mano
   ....

Exercício 4

Forme frases usando o gerúndio, como no exemplo.

Trabajar mucho: Estoy trabajando mucho.

1. Esperar una llamada telefónica.
2. Bailar flamenco.
3. Preguntar por el camino.
4. Ir al teatro.
5. Llegar a casa.

Gramática, exercício, vocabulário Lição 15

Decir dizer	**oír** ouvir	**seguir** continuar

Mais verbos irregulares:

digo eu digo	**oigo** eu ouço	**sigo** eu sigo
dices	**oyes**	**sigues**
dice	**oye**	**sigue**
decimos	oímos	seguimos
decís	oís	seguís
dicen	**oyen**	**siguen**

Ações que se repetem

volver + a + infinitivo	repetir algo/fazer algo novamente
vuelvo a llamar	ligo de novo
vuelves a cantar	cantas novamente
vuelve a tener miedo	está com medo de novo
volvemos a encontrarnos	encontramo-nos de novo
volvéis a hacer lo mismo	fazeis o mesmo novamente
vuelven a explicarlo	explicam-no de novo

Infinitivo, particípio passado ou gerúndio?

Exercício 5

1. Vamos a (charlar) un poco.
2. Ha (llegar) a Madrid hoy.
3. Estamos (esperar) a Luisa.
4. Sigue (repetir) los números.
5. Volvemos a (llamar) a Barcelona.

Vocabulário

abonado *m*	assinante (telefone)	**charlar**	conversar, bater papo
amiga *f*	amiga	**comunicar**	estar ocupado (telefone)
auricular *m*	fone		
cabina *f*	cabine	**correr**	correr, fluir
telefónica	telefônica	**decir**	dizer
caer	cair	**dejar**	deixar (para trás) ▶

CIENTO TREINTA Y CINCO

Lição 15 — Vocabulário, país e cultura

Espanhol		Português	
¿De parte de quién?	Quem está falando?	mismo, -a	mesmo, -a
descolgar (-ue-)	pegar (o telefone)	morir (-ue-)	morrer
		o	ou
ejercicio *m*	exercício	ocupado, -a	ocupado, -a
estudiante *m/f*	estudante	oficina *f* de la telefónica	central telefônica
explicar	explicar	oír	ouvir
finalmente	finalmente	por lo menos	pelo menos
internacional	internacional	precisamente	precisamente
llamada *f*	ligação telefônica	recado *m*	recado
		repetir (-i-)	repetir
llamada *f* a cobro revertido	chamada a cobrar	seguir (-i-)	continuar
		seguramente	certamente; (*aqui*:) sem dúvida
llamar	chamar, ligar		
marcar	digitar, discar		
más	mais	señal *f*	sinal
próximo, -a	próximo, -a	tarjeta *f* telefónica	cartão telefônico
media hora más	mais meia hora	urgente	urgente
México *m*	México	utilizar	usar, utilizar
mientras	enquanto	venir	vir

Ligações telefônicas

Na Espanha, no passado, a companhia nacional telefônica mantinha centrais com o nome de **Telefónica,** que podiam ser encontradas em quase toda cidade e locais turísticos.

Cabines telefônicas usam ou apenas moedas (com um T verde) ou moedas e cartões telefônicos (com um T azul). Um cartão telefônico (**tarjeta telefônica**) pode ser comprado em agências do correio e tabacarias.

Para ligar da Espanha para o Brasil, disque 00 seguido de 55, que é o código brasileiro, e então o prefixo da cidade sem o zero, por exemplo, 11 para São Paulo, 21 para o Rio de Janeiro e assim por diante.

La moda

16

Karen y Carlos están mirando los escaparates. Entran en una tienda de confecciones:

Dependiente: Buenas tardes. ¿Qué desean?
Karen: Por favor, ¿me podría enseñar la falda del escaparate? Me gustaría probármela.
Dependiente: Sí, se la muestro con gusto, ¿cuál de ellas?
Karen: Aquella de la derecha, la roja.
Dependiente: ¿Qué talla tiene Ud.?
Karen: La 38.
Dependiente: Lo siento, la falda del escaparate es la talla 36, pero tenemos también estos modelos nuevos de algodón, ¿le gusta alguno?
Karen: No sé ... los negros me parecen un poco extravagantes ...
Carlos: ¿Podrías probarte la falda azul rayada?
Dependiente: El probador está al fondo.
Karen: ¿Carlos, te gusta? En la cintura me resulta un poco estrecha ...
Carlos: Te queda perfectamente. Es muy sexy ...
Karen: Entonces voy a adelgazar un poco.

Lição 16 — Diálogo

Carlos: Me gustaría regalártela.
Dependiente: ¿Desea regalársela? ¡Huy … qué regalo!
Karen: Vaya … ¡qué sorpresa!
Carlos: ¿Cuánto cuesta?
Dependiente: Esta está a 33 euros, pero se la dejo en 30. Es una calidad muy buena, la puede meter en la lavadora y no necesita planchar.
Karen: Gracias, ¿me la podría poner en una bolsa?
Dependiente: Sí, ahora mismo se la pongo en una bolsa de papel. ¿Necesitan Uds. algo más? ¿Un jersey o alguna blusa?
Karen: Gracias, por el momento no.

A moda

Karen e Carlos estão vendo vitrines. Eles entram em uma loja de roupas.
Balconista: Boa tarde. O que desejam?
Karen: Por favor, poderia me mostrar a saia da vitrine? Gostaria de experimentá-la.
Balconista: Sim, com muito prazer. Qual delas?
Karen: A da direita, a vermelha.
Balconista: Qual é o número?
Karen: Número 38.
Balconista: Sinto muito, a saia da vitrine é número 36, mas nós também temos esses novos modelos de algodão. Gosta de algum?
Karen: Não sei, … acho os pretos um pouco extravagantes …
Carlos: Por que não experimenta a saia azul listrada?
Balconista: O provador fica ali no fundo.
Karen: Carlos, você gostou? Está um pouquinho apertada na cintura …
Carlos: Ficou muito bem. É muito sexy …
Karen: Bom, então tenho que emagrecer um pouco.
Carlos: Quero te dar de presente.
Balconista: Quer dar de presente? Uau … que presente!
Karen: Oh! Que surpresa!
Carlos: Quanto custa?

Diálogo, gramática — Lição 16

Balconista: Esta custa 33 euros, mas vou deixar por 30. É de muito boa qualidade; você pode colocar na máquina de lavar e não precisa passar.
Karen: Obrigada, pode colocar numa sacola?
Balconista: Sim, agora mesmo coloco numa sacola de papel. Precisa de mais alguma coisa? Um pulôver ou uma blusa?
Karen: Não, obrigada, no momento não.

Condicional

infinitivo + -ía / -ías / -ía / -íamos / -íais / -ían → condicional

Todos os verbos têm a mesma terminação. Elas estão ligadas ao infinitivo:

bailar	**beber**	**ir**
bailaría	bebería	iría
bailarías	beberías	irías
bailaría	bebería	iría
bailaríamos	beberíamos	iríamos
bailaríais	beberíais	iríais
bailarían	beberían	irían

O condicional é usado para **expressar educadamente um desejo**, um **pedido** ou uma **opinião**.

Necesitaría una blusa. — Precisaria de uma blusa.
Podría ayudarte. — Poderia ajudá-lo.
No **hablaría** así. — Eu não falaria assim.

CIENTO TREINTA Y NUEVE

Lição 16 — Gramática, exercício

> **Formas condicionais irregulares**
>
> Vários verbos têm seu radical **reduzido** no condicional, **mudam** totalmente ou ganham um **-d-**:
>
> saber → sa**brí**a   venir → ven**drí**a   querer → que**rrí**a
> haber → ha**brí**a   poner → pon**drí**a   decir → di**rí**a
> poder → po**drí**a   salir → sal**drí**a   valer → val**drí**a
> hacer → ha**rí**a   tener → ten**drí**a
>
> **Quisiera** geralmente é usado no lugar de *querría*:
> (***Querría*** *saber dónde vives.*) → ***Quisiera*** *saber dónde vives.*
> Queria saber onde você mora.

Exercício 1

Use a 1ª pessoa do plural para dizer o que gostaria de fazer.

1. Ir de compras.
2. Acompañar a los abuelos.
3. Comer un helado.
4. Trabajar poco.
5. Salir al parque.
6. Subir al tercer piso.
7. Ducharse.

Exercício 2

Pergunte educadamente.

1. ¿Me (poder) (Ud.) enseñar la falda?
2. ¿Le (decir) (tú) dónde está la estación?
3. ¿(Vosotros) (querer) acompañarme a Málaga?
4. ¿(Uds.) (jugar) con los niños?
5. ¿(Tú) (ir) de compras?
6. ¿(Ud.) (venir) más temprano del colegio?
7. ¿(Ella) (vivir) también en un piso alquilado?

Gramática, exercício   Lição 16

Pronomes duplos com o verbo

te regalo la blusa	→ **te la** regalo	dou-lhe a blusa
te compro el traje	→ **te lo** compro	compro-lhe o terno
te enseño las casas	→ **te las** enseño	mostro-lhe as casas
te doy los bolsos	→ **te los** doy	dou-lhe as sacolas

Ambos os **pronomes antecedem a forma verbal conjugada** ou **estão unidos ao infinitivo ou ao gerúndio**:

te lo quiero comprar → quiero comprár**telo**
(a ella/él/Ud.) **le** regalo **la** blusa → **se la** regalo
(a ella/él/Ud.) **le** compro **el** traje → **se lo** compro
(a ellas/ellos/Uds.) **les** enseño **las** casas → **se las** enseño
(a ellos/ellas/Uds.) **les** doy **los** bolsos → **se los** doy

■ Diante de **la, las, lo, los**, os pronomes **le, les** se tornam **se** – que significa -lhe, -lhes.

■ O objeto indireto (dativo – de quem/de quê?) antecede o objeto direto (acusativo – quem/o quê?):

```
                te ←   → la    regalo
eu dou    a coisa ×  (para) você
```

Complete com os pronomes pessoais.

Exercício 3

1. Karen ha estudiado el español y ... sabe muy bien.
2. A tu hermana no ... conozco.
3. ¿Dónde está Almería? No ... sé.
4. Nos ofrecen su casa, pero no ... queremos.
5. (A mi amiga) ... he escrito pero (mi amiga) ... no me ha contestado.

6. Los pantalones ... (tú) quedan muy bien.

7. Si ellas no vienen hoy, ... voy a ver el lunes.

Exercício 4

Substitua as palavras em itálico por pronomes pessoais.

He dado mi coche a mi hermano.
Se lo he dado.

1. Cuenta *sus problemas* a *Adela*.

2. Voy a comprar *el libro* a *Vicente*.

3. Pongo *el jersey* a *los niños*.

4. ¿Podrías comprar *unas cervezas* para *nuestros invitados*?

5. ¿Podrías dar *los libros* a *mi amiga*?

6. He regalado *las flores* a *la señora Ibáñez*.

Exercício 5

Faça a correspondência.

¿Qué desea?	La 44.
¿Qué color desea?	Sí, me lo llevo.
¿De qué material?	Sí, me gusta mucho.
¿Para quién es?	No sé, de algodón o seda.
¿Qué talla tiene?	Me resulta un poco estrecho.
¿Le gusta?	Para mí.
¿Cómo le queda?	Un vestido.
¿Se lo lleva?	Algo en rojo.

Exercício, vocabulário — Lição 16

Esta ou está?

... chica no ... nunca en casa.
Siempre ... de viaje.
... semana la he encontrado en Valencia y ahora ... de nuevo en Madrid.
Vive en ... calle grande que ... al lado de ... iglesia famosa.
No sé el nombre de ... iglesia, que ... en el centro.

Exercício 6

Vocabulário

acompañar	acompanhar
adelgazar	emagrecer
ahora mismo	agora mesmo
al fondo	no fundo, atrás
algodón m	algodão
blusa f	blusa
bolsa f	sacola
calidad f	qualidade
cintura f	cintura
contar (-ue-)	contar
contestar	responder
¿Cuál de ellas?	Qual delas?
dejar	sair, deixar
derecha f	lado direito, direita
duchar	tomar banho de chuveiro
enseñar	mostrar
entonces	então
entrar en	entrar em
escaparate m	vitrine
estrecho, -a	justo, -a, apertado, -a
extravagante	extravagante
falda f	saia
fondo m	fundo, parte de trás
invitado m	convidado
jersey m	pulôver
lavadora f	máquina de lavar roupas
meter	colocar dentro
moda f	moda
modelo m	modelo
momento m	momento
mostrar (-ue-)	mostrar
negro, -a	preto, -a
papel m	papel
perfectamente	perfeitamente
piso m	chão, andar
planchar	passar a ferro
por el momento	no momento
probador m	provador
probarse (-ue-) alguna cosa	experimentar algo
quedar	(aquí:) servir, cair bem
rayado, -a	listrado
regalar	dar de presente
regalo m	presente
resultar	resultar
rojo, -a	vermelho, -a
seda f	seda
sexy	sexy

Lição 16 — Vocabulário, país e cultura

talla *f*	tamanho, número	**confecciones**	roupas
tienda *f* **de**	loja de	**valer**	valer
		¡Vaya!	Bem!

Vocabulário adicional

Colores cores

amarillo, -a	amarelo, -a	**azul**	azul
blanco, -a	branco, -a	**verde**	verde
rojo, -a	vermelho, -a	**marrón**	marrom
negro, -a	preto, -a	**gris**	cinza

■ Algumas cores também concordam em gênero.

Roupas

A juventude espanhola atual se veste de maneira "europeia", ou seja, usa principalmente: jeans *(vaqueros)*, camisetas *(camisetas)*, blusas *(blusas)* ou camisas *(camisas)*. Grandes lojas de departamento, como *El Corte Inglés*, ditam a moda e influenciam os consumidores espanhóis com suas mercadorias internacionais. Para ver roupas locais tradicionais, é preciso ir ao interior. Lá também, entretanto, são as pessoas mais velhas que usam as típicas *abuelas* negras ou a *boina* basca ou o chapéu de palha *(sombrero de paja)*.

Tamanhos:

Vestidos/ternos   Camisas

Espanha: 38 40 42 44 etc.   38 41 43 45 X
Brasil: P   M   M   M etc.   P   P   M   M   X

Sapatos masculinos   Femininos

Espanha: 40 41 42 43 44   37 38 39 40
Brasil: 38 39 40 41 42   35 36 37 38

En la comisaría

17

Policía: ¿Qué le pasó?
Karen: Me robaron el bolso con el pasaporte, las llaves de casa, un plano de Madrid, un monedero ... en plena calle.
Policía: ¿Cuándo ocurrió?
Karen: Anoche a eso de las 10.00.
Policía: ¿Dónde pasó exactamente?
Karen: Al salir de la estación del metro vi a un hombre que ...
Policía: Tiene que tener mucho ojo al salir y al entrar allí. ¿Podría describirme a ese hombre?
Karen: Es difícil, se lo llevó tan rápidamente y sin tener compasión. Solamente lo vi de atrás.

Lição 17 — Diálogo

> *Policía:*
> Al verlo ... empecé a dar gritos: »¡Mi bolso, ... mi bolso!« El ladrón entró en la estación, le perseguí, pero le perdí de vista en la muchedumbre dentro de la estación.
> *Policía:* ¿Y nadie le ayudó?
> *Karen:* No, nadie ... Todo ocurrió en un abrir y cerrar de ojos.
> *Policía:* Bueno, ahora vamos a hacer una declaración y rellenar este formulario.
> *Karen:* ¿Cree Ud. que se puede encontrar...?
> *Policía:* No sé. De todos modos va a ser un poco difícil. Tiene que andar Ud. con mucho ojo en la ciudad. Nosotros nos vamos a ocupar del caso. Por favor, su nombre y dirección.
> *Karen:* Mi nombre es Karen Muller, vivo en el Paseo de la Castellana nº 6.
> *Policía:* Sin tener la copia de la denuncia no puede solicitar un pasaporte nuevo. Tiene que solicitar uno en el consulado.

Na delegacia de polícia

Policial: O que houve?
Karen: Alguém roubou minha bolsa com meu passaporte, as chaves de casa, um mapa de Madri, um porta-moedas ... em plena rua.
Policial: Quando aconteceu?
Karen: Ontem à noite, perto das 22 horas.
Policial: Onde aconteceu exatamente?
Karen: Ao sair da estação de metrô, vi um homem que ...
Policial: É preciso estar muito atenta ao sair e entrar dali. Você poderia descrever o homem para mim?
Karen: É difícil, ele levou tudo tão rápido e sem a menor compaixão. Só o vi de costas. Comecei a gritar: "Minha bolsa ... minha bolsa!". O ladrão entrou na estação, corri atrás dele, mas o perdi de vista na multidão da estação.
Policial: E ninguém a ajudou?

Karen:	Não, ninguém ... Tudo aconteceu num abrir e fechar de olhos.
Policial:	Bem, vamos pegar seu depoimento e preencher este formulário.
Karen:	O senhor acredita que podemos encontrar...?
Policial:	Não sei. De qualquer maneira, será um pouco difícil. É preciso andar com muita atenção na cidade. Vamos cuidar do caso. Por favor, seu nome e endereço.
Karen:	Meu nome é Karen Muller, moro no Paseo de la Castellana nº 6.
Policial:	Sem uma cópia do boletim de ocorrência você não pode pedir um passaporte novo. É preciso solicitar ao consulado.

Pretérito indefinido: passado de verbos regulares

hablar	**perder**	**abrir**
habl**é** falei	perd**í** perdi	abr**í** abri
habl**aste**	perd**iste**	abr**iste**
habl**ó**	perd**ió**	abr**ió**
habl**amos**	perd**imos**	abr**imos**
habl**asteis**	perd**isteis**	abr**isteis**
habl**aron**	perd**ieron**	abr**ieron**

Verbos terminados em **-er** e **-ir** têm a mesma terminação do **indefinido**.

O **indefinido** significa uma **ação que foi completada no passado** e que **não se relaciona ao presente**.

O **indefinido** é usado com expressões de tempo como **ayer** (ontem), **anteayer** (anteontem), **anoche** (ontem à noite), **la semana pasada** (na semana passada), **el año pasado** (no ano passado) e com anos:

Viví en Madrid en 1986.
Morei em Madri em 1986.
*La semana pasada **encontramos** a Pedro.*
Na semana passada encontramos Pedro.

Lição 17 — Gramática, exercício

> Alguns verbos **mudam de grafia** para manter a pronúncia adequada:
> *pagar* ➜ *pagué*, *sacar* ➜ *saqué*
> Antes de *-e-* e *-i-*, o *-z-* se transforma em *-c-*:
> *empezar* ➜ *empecé*
>
> O *-i-* entre duas vogais se transforma em *-y-*
> *caió* ➜ *cayó*: *caer* ➜ *cayó* (veja *oír* na Lição 15)

Exercício 1

Preencha com as formas verbais adequadas, seguindo o exemplo.

hablar	hablé	hablaste	hablarías	hablaríais
1. comprar				
2. leer				
3. cantar				
4. abrir				
5. vivir				
6. perder				

Exercício 2

Conjugue os verbos no indefinido.

1. Ayer (yo, visitar) . . . a unos amigos.
2. (yo, llamar) . . . a la puerta.
3. Me (abrir) . . . una chica.
4. Me (dejar) . . . pasar y me (ofrecer) . . . un vaso de vino.
5. Después del vino (nosotros, tomar) . . . unas gambas.
6. A mí no me (gustar) . . . nada.
7. (yo, salir) . . . a dar un paseo.
8. (yo, ver) . . . muchas flores bonitas.
9. Luego (yo, tomar) . . . el autobús y (volver) . . . a casa.

Gramática

al + infinitivo	o momento em que...; quando; enquanto; durante
Saluda **al entrar.**	Ela cumprimenta ao entrar.
sin + infinitivo	sem
Se va **sin mirarlo.**	Ele sai sem olhá-lo.

Significados diversos de de

origem e designação de localização

Soy **de** Barcelona.	Sou de Barcelona.
Vengo **de** la ciudad.	Venho da cidade.
la falda **del** escaparate	a saia da vitrine

posse, relativo a

el libro **de** Antonio	o livro de Antonio
la señora **de** García	a esposa do Sr. García

frases compostas

la bolsa **de** papel	a sacola de papel
la estación **del** metro	a estação de metrô
cordones **de** zapatos	os cordões de sapato

atributos

la falda **de** rayas	a saia de listras
el señor **de** gafas	o homem de óculos

referência

ocuparse **del** caso	cuidar do caso
Grita **de** miedo.	Ela grita de medo.

Lição 17 — Gramática, exercício

> **quantidades depois de substantivos**
> *un poco **de** sal* — um pouco de sal
> *un litro **de** leche* — um litro de leite
>
> **horários, datas**
> *a las tres **de** la tarde* — às três da tarde
> *el 10 **de** marzo* — em 10 de março
> ***de** día* — durante o dia
>
> **usado com certos verbos**
> *estar **de** pie* — estar de pé
> *estar **de** acuerdo* — estar de acordo

Exercício 3

Complete com *de, del* ou *de la*.

1. La puerta ... casa está abierta.
2. ¿Cuál es la dirección ... consulado?
3. Vivimos muy cerca ... Plaza de la Cibeles.
4. La señora ... Sánchez da clases ... español.
5. Nos vamos a ocupar ... caso.

Exercício 4

Reescreva as frases seguindo o exemplo.

Cuando salió perdió el bolso.
Al salir perdió el bolso.

1. Cuando salí de casa me quedé sin llaves.

   ....

2. Cuando vimos esta película, nos reímos a carcajadas.

   ....

3. Cuando leí el periódico me puse triste.

   ....

Exercício, vocabulário Lição 17

Exercício 5

Reescreva as frases seguindo o exemplo.

No soy tu amigo pero te voy a ayudar.
Sin ser tu amigo te voy a ayudar.

1. No las conozco, no las voy a acompañar.

....

2. Juan no es muy listo pero sabe mucho.

....

3. No tengo mucho dinero pero viajo mucho.

....

4. No veo a la chica, no abro la puerta.

....

Vocabulário

andar	andar, passear	**denunciar**	denunciar
anoche	ontem à noite	**describir**	descrever
anteayer	anteontem	**en plena calle**	em plena rua
caso *m*	caso	**¿En qué puedo servirle?**	Em que posso ajudá-lo?
comisaría *f*	delegacia de polícia	**en un abrir y cerrar de ojos**	em um abrir e fechar de olhos
compasión *f*	compaixão		
consulado *m*	consulado	**encontrar (-ue-)**	encontrar
copia *f*	cópia	**estar de acuerdo**	estar de acordo
creer	acreditar		
dar gritos	gritar	**estar de pie**	estar de pé
de atrás	de trás, de costas	**formulario** *m*	formulário
		gafas *f pl*	óculos
de día	de dia	**grito** *m*	grito
de todos modos	de qualquer forma	**ladrón** *m*	ladrão
		listo, -a	esperto, -a
declaración *f*	(*aqui:*) depoimento	**llevarse alguna cosa**	levar alguma coisa
denuncia *f*	denúncia		

▶

Lição 17 — Vocabulário, país e cultura

monedero m	porta-moedas	**robar**	roubar
muchedumbre f	multidão	**robo** m	roubo
		servir	servir
ocuparse de alguna cosa	ocupar-se de algo	**solamente**	somente, apenas
ocurrir	ocorrer, acontecer	**solicitar**	pedir, solicitar
perder de vista	perder de vista	**tener mucho ojo**	manter os olhos abertos, prestar atenção
perseguir (-i-)	perseguir		
reirse a carcajadas	rir às gargalhadas		
rellenar	preencher		

A polícia

Se você precisar pedir ajuda à polícia na Espanha, você pode se dirigir a:

Policía Municipal (polícia municipal), que se reporta à administração local e é responsável pela lei e ordem da cidade (emitindo multas de trânsito, registrando reclamações e cobranças etc.). Os membros dessa unidade de polícia usam uniformes azuis.

Policía Nacional (polícia nacional), que é uma unidade armada de resposta rápida, lidando com crimes e agindo contra o crime organizado. Seu uniforme é marrom e branco.

Guardia Civil (guarda civil) é uma divisão do exército e responde ao Ministro do Interior. É responsável pelo controle do trânsito, assim como pelo policiamento de prédios e serviços públicos. Seus membros usam um uniforme verde com um boné preto.

Vamos de cámping

LIÇÃO 18

Carlos: Karen, podríamos ir de cámping toda la semana, ¿qué te parece?
Karen: Es una idea fantástica. Los García estuvieron el mes pasado en Valencia e hicieron un viaje en una autocaravana.
Carlos: Y a ti, ¿adónde te gustaría ir?
Karen: A mí me gustaría ir a la costa a bañarme, poder tomar el sol y descansar a pierna suelta y por las noches ir a bailar.
Carlos: Podríamos ir a la Costa Brava, allí conozco un cámping con todo lo que necesitamos, incluso una discoteca.

El día de la salida.
Carlos: Karen, ¿qué dijeron los García de este viaje a la Costa Brava?
Karen: Pues, tuvieron que aceptar. Se quedaron con la boca abierta. ¿Pusiste anoche la tienda y los sacos de dormir en el coche?

Lição 18 — Diálogo

Carlos: Sí, los puse. Y tú, ¿has traído un anorak? De día hace calor, pero de noche hace un poco de frío.
Karen: No, pero tengo un jersey en la mochila. Bueno, ahora podemos partir.
Carlos: Quise traer algo para comer y beber, pero no tuve tiempo ni para ir de compras ni para despedirme de mi madre.
Karen: He traído algunas galletas, pan integral, queso, zumo de naranja y siete u ocho mandarinas. ¿Quieres este pan u otro?
Carlos: ¡Eres un ángel! Este. Mmm ... Hace dos años pasé por aquí con unos amigos ...
Karen: ¿Cuánto se paga por acampar?
Carlos: No sé exactamente, vamos a ver.
Karen: ¿Tienes un carnet de cámping?
Carlos: No, no lo tengo.
Karen: ¿Hay servicios, duchas, lavabos allí?
Carlos: Sí... hay electricidad y agua potable.
Karen: ¿No es peligroso por las noches?
Carlos: No, el cámping está vigilado.
Karen: ¡Pues, todo sale a pedir de boca!

Vamos acampar

Carlos: Karen, poderíamos acampar durante toda a semana. O que você acha?
Karen: É uma ideia fantástica. Os García estiveram em Valência no mês passado e viajaram de trailer.
Carlos: E você, onde gostaria de ir?
Karen: Gostaria de ir para o litoral tomar banho de mar, tomar sol e descansar tranquila, e à noite sair para dançar.
Carlos: Poderíamos ir para a Costa Brava; conheço um camping ali com tudo o que precisamos, incluindo uma discoteca.

Diálogo   Lição 18

No dia da partida.
Carlos: Karen, o que os García disseram sobre essa viagem para a Costa Brava?
Karen: Bem, eles tiveram de aceitar. Ficaram de boca aberta. Você colocou a barraca e os sacos de dormir no carro ontem à noite?
Carlos: Sim, coloquei. E você, trouxe um anoraque? De dia faz calor, mas à noite faz um pouco de frio.
Karen: Não, mas tenho um pulôver em minha mochila. Bem, agora podemos ir.
Carlos: Queria trazer alguma coisa para comer e beber, mas não tive tempo de fazer compras nem de me despedir da minha mãe.
Karen: Trouxe uns biscoitos, pão integral, queijo, suco de laranja e sete ou oito tangerinas. Você gosta desse pão ou prefere outro?
Carlos: Você é um anjo! Quero este. Mmm, ... há dois anos passei por aqui com alguns amigos ...
Karen: Quanto se paga para acampar?
Carlos: Não sei exatamente, vamos ver.
Karen: Você tem licença para acampar?
Carlos: Não, não tenho.
Karen: Lá tem banheiros, chuveiros, lavatórios?
Carlos: Sim ... tem eletricidade e água potável.
Karen: Não é perigoso à noite?
Carlos: Não, o camping é vigiado.
Karen: Então não poderíamos pedir mais do que isso!

Lição 18 — Gramática, exercício

> **Formas irregulares do indefinido**
>
> Alguns verbos têm formas irregulares do **indefinido**:
>
> | estar | tener | hacer |
> |---|---|---|
> | **estuve** estive | **tuve** tive | **hice** fiz |
> | est**uviste** | **tuviste** | **hiciste** |
> | est**uvo** | **tuvo** | **hizo** |
> | est**uvimos** | **tuvimos** | **hicimos** |
> | est**uvisteis** | **tuvisteis** | **hicisteis** |
> | est**uvieron** | **tuvieron** | **hicieron** |
>
> Cuidado com a grafia de *hizo*: o *c* se transforma em *z* diante do *o*.
>
> | poner | querer | decir |
> |---|---|---|
> | **puse** pus | **quise** quis | **dije** disse |
> | **pusiste** | **quisiste** | **dijiste** |
> | **puso** | **quiso** | **dijo** |
> | **pusimos** | **quisimos** | **dijimos** |
> | **pusisteis** | **quisisteis** | **dijisteis** |
> | **pusieron** | **quisieron** | **dijeron** |
>
> O *i* na terminação *-ieron* desaparece depois do *j*: *di***jeron**.

Exercício 1

Como você contaria a seguinte história amanhã?
Comece com *Ayer* . . . .

Hoy he hecho un viaje en tren. Me he levantado muy temprano, me he duchado y me he vestido. Luego he tomado una tostada con café. Después he cogido mi bocadillo para el almuerzo y lo he metido en la mochila. Entonces he salido de casa. Mi madre me ha llevado a la estación del autobús y allí he esperado media hora en vano. Entonces he hecho autostop. He tenido que esperar otros diez minutos y he llegado a la estación justamente un minuto antes de la salida del tren. Lo he cogido y así ¡todo ha salido a pedir de boca!

Gramática, exercício   Lição 18

> **Negação: no ... ni ... ni ...**
>
> **No ... ni ... ni ...** corresponde, em português, a **não ... nem ... nem ...**
> **No ... ni** por sua vez significa **nem sequer.**
>
> **No** tuve tiempo **ni** para ir de compras **ni** para despedirme.
> Não tive tempo nem de fazer compras, nem de me despedir.
>
> **No** tuve tiempo **ni** para ir de compras.
> Não tive tempo sequer para fazer compras.

Exercício 2

Escreva frases usando o seguinte exemplo como referência.

tener dinero/comprar pan:
No tengo dinero ni para comprar pan.

1. querer/salir

2. tener tiempo/dar un paseo

3. poder/hablar

o → u

> **o** (ou) **se torna u antes de o/ho:**
> ocho **o** nueve mandarinas
> mas: siete **u** ocho mandarinas
> ¿quieres éste **o** el otro?
> mas: ¿quieres éste **u** otro?

Exercício 3

O ou u?

Nos encontramos ayer entre las siete ... ocho de la tarde en un café. Tomamos un helado, uno ... dos zumos y unas tapas. Nos sirvió un chico ... hombre andaluz entre bgcagmafm. . veinte años. A eso de j_qĀbgcxĀ . once regresamos a casa.

CIENTO CINCUENTA Y SIETE 157

Lição 18 — Exercício, vocabulário

Exercício 4

Presente, pretérito perfeito ou *indefinido*?

1. Hoy (nosotros, trabajar) ... mucho. (Estar) ... cansados.
2. Esta noche (yo, ir) ... a bailar.
3. El domingo pasado (nosotros, estar) ... en un restaurante.
4. ¿Qué (vosotros, hacer) ... ayer por la noche?
5. ¿(tú, comprar) ... leche esta mañana?
6. (Nosotros, querer) ... ir este verano a la playa.

Exercício 5

Escreva frases usando o seguinte exemplo como referência.

encontrar/Pedro/Marta:
No he encontrado ni a Pedro ni a Marta.

1. entrar/iglesia/catedral
2. visitar/abuelos/tíos
3. comer/huevos/patatas
4. comprar/zumo/galletas
5. leer/libro/periódico
6. ir/de viaje/de paseo
7. ver/como anda/como baila
8. oír/perros/ladrones

Vocabulário

a pedir de boca	exatamente o que se quer, vir a calhar	**aceptar**	aceitar
		(el) agua f	água
		potable	potável
a pierna suelta	livremente, à vontade	**andar**	ir
		ángel m	anjo
a tiempo	a tempo	**anorak** m	anoraque (jaqueta impermeável)
acampar	acampar		
accidente m	acidente		

Vocabulário — Lição 18

autocaravana f	trailer	hace frío	faz frio
bañarse	tomar banho, nadar	incluso	inclusive
		ir de cámping	ir acampar
boca f	boca	lavabo m	lavatório
calor m	calor	mandarina f	tangerina
cámping m	camping	mochila f	mochila
carnet m de cámping	licença para acampar	pan m integral	pão integral
		peligroso, -a	perigoso, -a
coger (-j-)	pegar	pierna f	perna
costa f	litoral, costa	regresar	regressar, voltar
de día	de dia		
de noche	à noite	saco m de dormir	saco de dormir
descansar	descansar		
despedirse (-i-)	despedir-se	se quedaron con la boca abierta	ficaram de boca aberta
día m de la salida	dia da partida		
discoteca f	discoteca/ boate	servicios m pl	toaletes, banheiros
ducha f	chuveiro	tienda f	barraca
electricidad f	eletricidade	tomar el sol	tomar sol
en vano	em vão	traer (-g-)	trazer
fantástico, -a	fantástico, -a	vestirse (-i-)	vestir-se
frío m	frio	vigilado, -a	vigiado, -a
galleta f	biscoito, bolacha	zumo m de naranja	suco de laranja
hace calor	faz calor		

Las estaciones del año   **As estações do ano**

la primavera	primavera	el otoño	outono
el verano	verão	el invierno	inverno

Vocabulário adicional

▶

Lição 18 — Vocabulário, país e cultura

Vocabulário adicional

Los meses   Os meses

enero *m*	janeiro
febrero *m*	fevereiro
marzo *m*	março
abril *m*	abril
mayo *m*	maio
junio *m*	junho
julio *m*	julho
agosto *m*	agosto
septiembre *m*	setembro
octubre *m*	outubro
noviembre *m*	novembro
diciembre *m*	dezembro

Camping na Espanha

Há muitos campings na costa da Espanha. O interior oferece menos oportunidades de acampar, já que os campings são poucos e distantes.

A melhor época para acampar na Espanha é no final da primavera, quando se evita não só o calor da estação como as multidões que chegam durante as férias de verão. Mesmo que alguns campings fiquem abertos durante o ano todo, é aconselhável conferir os horários de funcionamento de certos lugares. Se você possui uma licença internacional para acampar, terá um desconto na maioria dos campings.

Em geral não há problema em acampar fora dos locais determinados – exceto nas montanhas e em locais onde seja expressamente proibido –, mas é melhor não abusar da hospitalidade e deixar o local depois de três dias. Também não é recomendável reunir-se em grupos de mais de três barracas, trailers e/ou dez pessoas. Do mesmo modo, não se pode acampar nas cercanias das rodovias e em locais turísticos. Devem ser mantidas, respectivamente, distâncias de 150 e 100 metros delas.

Un viaje en coche

Camino a la Costa Brava.

Carlos: Necesitamos gasolina, debe de haber por aquí una estación de servicio.
Karen: ¿Cuánto gasta tu coche?
Carlos: Casi 8 litros por 100 kilómetros. Lo supe hace unos meses al no quedarme ni una gota en el depósito.
Karen: ¿Qué tipo de gasolina?
Carlos: Sin plomo.
Karen: ¿Cuándo lo compraste y cuánto pagaste por él?
Carlos: Lo compré hace dos años y pagué unos 12.000 euros.
Karen: Carlos, ¡allí hay una gasolinera!
Carlos: También hay un taller. Podemos almorzar mientras ellos hacen un chequeo. ¿Qué te parece?

Karen: Buena idea.
Carlos: (al mozo) Sin plomo, lleno, por favor. ¿Puede hacerme una inspección al coche? Oí un ruido muy raro.
Mozo: ¡Cómo no! Ahora mismo miro el motor.
Carlos: ¿Quiere comprobar la presión de los neumáticos, el agua y el líquido de frenos? Creo que también falta aceite.
Mozo: ¿Algo más?
Carlos: Sí, ¿cuánto tiempo va a tardar?
Mozo: Una hora, más o menos. Mientras tanto pueden tomar algo en el restaurante.

Mientras ellos esperan.
Carlos: El año pasado fui al sur e hice un viaje por Andalucía. Un buen amigo me siguió hasta Cádiz. Estuvimos en Cádiz en un buen hotel ... Nos sentimos de maravilla.
Karen: Mis padres y yo fuimos a Italia, estuvimos en Brenzone en una pensión grande. Nos divertimos mucho ... fueron unas vacaciones fantásticas. Carlos, tienes muy mala cara hoy.
Carlos: Anoche dormí muy mal ... y como no pude dormir estoy hecho polvo.
Karen: ¡Oh, ... pobrecito! Y yo dormí como un tronco! Vamos, el coche ya debe estar listo.

Uma viagem de carro

Rumo à Costa Brava.
Carlos: Precisamos de gasolina, deve ter um posto de gasolina por aqui.
Karen: Quanto seu carro gasta?
Carlos: Quase 8 litros para 100 quilômetros. Soube disso há alguns meses, quando não sobrou uma gota no tanque.
Karen: Que tipo de gasolina?
Carlos: Sem chumbo.

Diálogo — Lição 19

Karen:	Quando você comprou o carro e quanto pagou por ele?
Carlos:	Comprei há dois anos e paguei uns 12 mil euros.
Karen:	Carlos, ali tem um posto de gasolina!
Carlos:	Também tem uma oficina. Podemos almoçar enquanto eles dão uma checada. O que você acha?
Karen:	Boa ideia.
Carlos:	*(para o atendente)* Sem chumbo, por favor, pode encher. Você pode dar uma checada? Ouvi um barulho estranho.
Atendente:	Pois não! Vou olhar o motor agora mesmo.
Carlos:	Pode conferir a pressão dos pneus, a água e o fluido de freios? Acho que também precisa de óleo.
Atendente:	Algo mais?
Carlos:	Quanto tempo vai demorar?
Atendente:	Uma hora, mais ou menos. Enquanto isso podem tomar algo no restaurante.

Enquanto esperam.

Carlos:	No ano passado fui para o sul e fiz uma viagem pela Andaluzia. Um amigo me acompanhou até Cádiz. Ficamos num bom hotel em Cádiz... Nos sentimos muito bem.
Karen:	Meus pais e eu fomos para a Itália. Ficamos em uma pensão enorme em Brenzone. Nos divertimos muito... foram umas férias fantásticas. Carlos, você está com uma cara péssima hoje!
Carlos:	Ontem à noite dormi muito mal... e porque não consegui dormir estou exausto.
Karen:	Oh, coitadinho! Eu dormi como uma pedra! Vamos, o carro já deve estar pronto.

Lição 19 — Gramática, exercício

Outras formas irregulares do indefinido

saber	poder	ir/ser
supe eu soube	**pude** eu pude	**fui** eu fui
supiste	**pudiste**	**fuiste**
supo	**pudo**	**fue**
supimos	**pudimos**	**fuimos**
supisteis	**pudisteis**	**fuisteis**
supieron	**pudieron**	**fueron**

Ir e *ser* têm as mesmas formas no *indefinido*.

sentir	seguir	dormir
sentí senti	*seguí* segui	*dormí* dormi
sentiste	*seguiste*	*dormiste*
sintió	**siguió**	**durmió**
sentimos	*seguimos*	*dormimos*
sentisteis	*seguisteis*	*dormisteis*
sintieron	**siguieron**	**durmieron**

Sentir, **seguir**, **dormir**, assim como **servir** e **morir**, têm terminações regulares, mas mudam o **radical -e** para **-i-** e o **-o-** para **-u-** na 3ª **pessoa** do singular e do plural.

Exercício 1

Use o *indefinido* dos verbos.

El año pasado mis padres y yo (hacer) un viaje a Madrid. Ellos no (saber) por qué no nos (ir) a Barcelona. (Ser) porque yo (estar) el año pasado en Madrid y esta ciudad me (gustar) mucho. Allí (conocer) la amabilidad de mucha gente. También mis padres se (sentir) de maravilla cuando (llegar) allí y me lo (decir) muchas veces.

Exercício, gramática — Lição 19

Complete com o *indefinido* dos verbos.

1. Anoche Carlos (dormir) . . . muy mal.
2. Nunca (ellos, saber) . . . cómo pasó.
3. Los alumnos (hacer) . . . una excursión.
4. Todos (sentir) . . . mucho su desgracia.
5. (Nosotros, querer) . . . acompañarlas pero no nos (poder) . . . ir.
6. Ayer (yo, ir) . . . a visitar a Karen.
7. Le (él, seguir) . . . la huella.

Preencha a tabela com as formas do *indefinido*.

	tú	nosotros	ustedes
1. ir			
2. sentir			
3. ducharse			
4. afeitarse			
5. poner			
6. decir			

Suposições

***deber + (de)* + infinitivo** = deve, tem de

Debe + *de* + infinitivo é usado para expressar uma **suposição baseada em fatos conhecidos**:

Debe de haber un restaurante por aquí.
Deve haver um restaurante por aqui.

de geralmente desaparece nessas construções:

El coche debe estar listo.
O carro deve estar pronto.

Lição 19 — Exercício, gramática

Exercício 4

Passe para o espanhol

Deve haver um restaurante por aqui.
No ano passado, estive aqui com alguns amigos. O restaurante deve estar aberto.

Bueno, malo, grande

bueno + substantivo masculino singular	**buen**
malo + substantivo masculino singular	**mal**
grande + substantivo singular	**gran**

Antes dos **substantivos masculinos no singular bueno** e **malo**, cai a terminação **-o**: *un buen amigo*
grande perde o **-de** antes de **substantivos masculinos e femininos no singular**: *una gran persona*

Quando posicionado depois de um substantivo e se o substantivo está no **plural**, suas terminações permanecem:
*una persona gran**de** – unos amigos buen**os***

Tome cuidado com a diferença de significado que a posição de **grande** implica (assim como no português):
*una ciudad **grande*** – uma cidade grande
*una **gran** ciudad* – uma grande cidade

Exercício 5

Faça com que os adjetivos concordem com os substantivos.

1. (bueno) tiempo
2. (grande) alegría
3. (malo) amigo
4. (ciento) kilómetros
5. (primero) mes
6. *(ninguno)* hombre
7. (alguno) hotel
8. (malo) noticia

Exercício, vocabulário   Lição 19

Exercício 6

Faça a corres-
pondência

sentirse	con la boca abierta
dormir	polvo
hay que tener	a carcajadas
reirse	de maravilla
quedarse	de boca
descansar	como un tronco
salir a pedir	mucho ojo
estar hecho	a pierna suelta

■ **ser + listo** = ser esperto
estar + listo = estar pronto

Vocabulário

ahora mismo	agora mesmo
alegría f	alegria
amabilidad f	amabilidade
Andalucía f	Andaluzia
camino a	rumo a
camino m	caminho
cara f	rosto, cara
casi	quase
chequeo m	vistoria, checagem, revisão
¡Cómo no!	Pois não!
comprobar (-ue-)	checar, examinar
de maravilla	maravilhoso, ótimo
deber de	dever, ter de ser
deber	dever, ter de
depósito m	tanque
desgracia f	desgraça
divertirse (-ie-)	divertir-se
dormir como un tronco	dormir como uma pedra
enamorado, -a	apaixonado, -a
estación f **de servicio**	posto de serviços e abastecimento
estar hecho polvo	estar exausto, quebrado
faltar	sentir falta
gasolina f	gasolina
gasolinera f	posto de gasolina
gastar	gastar, consumir
gota f	gota
hace unos meses	há alguns meses
huella f	passo, rastro

▶

inspección f	inspeção	presión f	pressão
kilómetro m	quilômetro	raro, -a	estranho, -a
líquido m	líquido, fluido	ruido m	ruído, barulho
líquido m de frenos	fluido de freio	seguir (-i-)	seguir
lleno, -a	cheio, -a	sentirse de	sentir-se
mientras tanto	enquanto isso	maravilla f	ótimo
motor m	motor	sin plomo	sem chumbo
mozo m	atendente	sur m	sul
neumático m	pneu	taller m	oficina mecânica
noticia f	notícia		
pensión f	pousada	tardar	demorar
plomo m	chumbo	tener mala cara	estar com a cara péssima
pobrecito m	coitadinho		
polvo m	pó	tipo m	tipo

Espanha de carro

As regras de trânsito na Espanha são muito similares às de outros países europeus. O uso de cintos de segurança é obrigatório, assim como o triângulo de segurança e os coletes reflexivos, em caso de quebra do carro. Os espanhóis adoram tocar a buzina, especialmente ao ultrapassar.

A velocidade limite em autoestradas *(autopistas)* é de 120 km/h, em estradas de duas mãos *(autovías)*, 100 km/h, em estradas secundárias *(carreteras)*, 90 km/h e em áreas construídas, 60 km/h. A maioria das autoestradas tem pedágios.

É ilegal que carros particulares reboquem outros veículos. Rodovias centrais e autoestradas são servidas pelo Real Automóvil Club de España, RACE.

Un accidente

Vuelta a Madrid.

Karen: ¡Qué tráfico! ¡Cuántos coches! ¡Cuidadoooo!
Carlos: Oh, ¡gracias a Dios! ¡Qué cara de ese conductor! Karen, ¿estás bien?
Karen: Sí, ¡qué susto!, casi chocamos. Me pregunto si ese conductor tiene permiso de conducir.
Carlos: Hace unos años me pasó lo mismo en esta autopista.
Karen: ¿De verdad? ¿Qué te pasó?
Carlos: Llovía, yo conducía en la calzada, vino un camión de la derecha y se me adelantó sin respetar la preferencia. Tuve la impresión que no me veía. Di un frenazo de emergencia, pero no pude evitar el choque contra la parte trasera del camión.
Karen: Y ¿qué pasó después?
Carlos: El conductor del camión y yo tuvimos que esperar a la policía. No teníamos testigos. Mientras esperábamos hubo otro accidente casi a nuestro lado.

Lição 20 — Diálogo

> *Karen:* ¡Qué horror!
> *Carlos:* Ambos estábamos pálidos y no sabíamos qué hacer. Yo siempre en estos casos estaba tranquilo pero aquel día no. Y cuando llegaron los policías estábamos muy nerviosos.
> *Karen:* ¿Reconoció el otro conductor que él tenía la culpa?
> *Carlos:* Sí, él dijo que yo iba demasiado de prisa, pero estaba claro que él era el culpable.
> *Karen:* ¿Llevabas puesto el cinturón de seguridad?
> *Carlos:* Sí, lo llevaba puesto.
> *Karen:* Cuando llueve, nieva o hace niebla es muy peligroso conducir. ¿Qué fue de tu coche?
> *Carlos:* El coche estaba hecho polvo.
> *Karen:* ¡Qué pena!
> *Carlos:* Lo remolcaron y para la declaración de los hechos tuvimos que darles nuestros nombres, apellidos, direcciones y la póliza del seguro. Era un desastre.

Um acidente

No caminho de volta a Madri.

Karen: Que trânsito! Quantos carros! Cuidado!
Carlos: Oh, graças a Deus! Que cara de pau tem esse motorista! Karen, você está bem?
Karen: Sim, que susto! Nós quase batemos. Me pergunto se esse motorista tem carteira de habilitação.
Carlos: Há alguns anos me aconteceu a mesma coisa nesta estrada.
Karen: Sério? O que aconteceu?
Carlos: Estava chovendo e eu estava dirigindo nesta pista. De repente veio um caminhão pela direita e me ultrapassou sem respeitar a preferencial. Tive a impressão de que não estava me vendo. Dei uma freada de emergência, mas não pude evitar a batida atrás do caminhão.
Karen: E depois, o que aconteceu?

Diálogo, gramática — Lição 20

Carlos:	O motorista do caminhão e eu tivemos de aguardar a polícia. Não havia testemunhas. Enquanto esperávamos, houve outro acidente quase do nosso lado.
Karen:	Que horror!
Carlos:	Ambos estávamos pálidos e não sabíamos o que fazer. Eu sempre fico calmo nessas situações, mas naquele dia, não. E quando chegaram os policiais, estávamos muito nervosos.
Karen:	O motorista reconheceu que era o culpado?
Carlos:	Sim, ele disse que eu ia rápido demais, mas estava claro que ele era o culpado.
Karen:	Você estava usando o cinto de segurança?
Carlos:	Sim, estava.
Karen:	Quando chove, neva ou há neblina é muito perigoso dirigir. O que aconteceu com seu carro?
Carlos:	O carro ficou destruído.
Karen:	Que pena!
Carlos:	Eles o rebocaram e, para o boletim de ocorrência, tivemos de dar nossos nomes, sobrenomes, endereços e apólice de seguros. Era um desastre.

Pretérito imperfeito

bailar	**comer**	**decir**
bail**aba** eu dançava	com**ía** eu comia	dec**ía** eu dizia
bail**abas**	com**ías**	dec**ías**
bail**aba**	com**ía**	dec**ía**
bail**ábamos**	com**íamos**	dec**íamos**
bail**abais**	com**íais**	dec**íais**
bail**aban**	com**ían**	dec**ían**

A 1ª e a 2ª pessoa, do singular são idênticas, ao passo que os verbos terminados em *-er* e *-ir* sempre compartilham a mesma terminação.

Lição 20 — Gramática, exercício

> **Formas irregulares do imperfeito**
>
> | ver | ser | ir |
> |---|---|---|
> | **veía** eu via | **era** eu era | **iba** eu ia |
> | **veías** | **eras** | **ibas** |
> | **veía** | **era** | **iba** |
> | **veíamos** | **éramos** | **íbamos** |
> | **veíais** | **erais** | **ibais** |
> | **veían** | **eran** | **iban** |
>
> As formas irregulares do pretérito imperfeito se limitam às três acima.

Exercício 1 — Escreva as formas do imperfeito como no exemplo a seguir.

leer	leías	leíais	leíamos
1. poner			
2. saludar			
3. adelantarse			
4. ver			
5. saber			
6. ir			
7. estar			
8. ser			

Gramática Lição 20

> **Quando usar o imperfeito**
>
> a) Ao descrever ações que estavam acontecendo no passado:
> **Hacía** sol. Fazia sol.
> Los niños **jugaban**. As crianças brincavam.
>
> b) Uma ação recorrente no passado:
> De joven **jugaba** al tenis.
> Quando eu era jovem, jogava tênis.
> Siempre **esperaba** a Carlos delante del café.
> Ela sempre esperava Carlos em frente ao café.
>
> c) Uma ação já em andamento, outra ação começada;
> a ação recém-começada assume o **indefinido**:
> Mientras **esperábamos**, **hubo** otro accidente.
> Enquanto esperávamos, houve outro acidente.
> Cuando **iba** al teatro **encontré** a María.
> Quando estava indo ao teatro, encontrei Maria.
>
> d) Ações paralelas no passado:
> **Estábamos** pálidos y **no sabíamos** qué hacer.
> Estávamos pálidos e não sabíamos o que fazer.
> **Estaba tocando** la guitarra mientras **cantaba**.
> Estava tocando violão enquanto cantava.
>
> O pretérito imperfeito geralmente é usado em associação com indicadores de tempo como **siempre** (sempre), **todas las noches** (toda noite), **todos los años** (todo ano), **de joven** (quando jovem), **antes** (antes), **mientras** (enquanto).

Lição 20 Exercício, gramática

Exercício 2

Complete as sentenças no pretérito imperfeito.

1. De joven (yo, ir) ... todos los días a la escuela.
2. Todas las mañanas (ella, dar) ... un paseo.
3. (Nosotros, mirar) ... las flores.
4. Cuando (tú, ser) ... pequeño (tú, tocar) ... la guitarra.
5. (Vosotros, no soler) ... cenar antes de dormir.

Outras formas irregulares de indefinido

venir	dar
vine eu vim	**di** eu dei
viniste	**diste**
vino	**dio**
vinimos	**dimos**
vinisteis	**disteis**
vinieron	**dieron**

O contexto das frases revelará se **vino** significa "vinho" ou "ele veio".

Você já deve ter percebido que os espanhóis não apertam o freio, mas dão uma freada de emergência – *di un frenazo*.

Exercício 3

Qual a sua reação?

1. No puedo acompañarte hoy.   ¡Qué cara!
2. Se sentó a nuestra mesa sin preguntar. ¡Qué horror!
3. No nos pasó nada en el accidente.   ¿De verdad?
4. Los tomates están en oferta.   ¡Gracias a Dios!
5. He olvidado el bolso en el metro.   ¡Qué pena!
6. Ha habido un fuerte huracán en Florida. Lo siento.

Exercício, vocabulário Lição 20

Exercício 4

A expressão **¿Qué es de ...?** é usada para indagar sobre várias coisas. Reescreva as frases seguindo o exemplo.

¿Cómo está tu hermano?
¿Qué es de tu hermano?

1. ¿Has terminado tu tesis?
2. ¿Qué tal están tus padres?
3. ¿Qué pasó con tu coche?
4. ¿Cómo fueron sus vacaciones?

Vocabulário

a nuestro lado	do nosso lado
accidente *m*	acidente
adelantarse	ultrapassar; (*aqui:*) fechar
ambos, -as	ambos, -as
apellido *m*	sobrenome
autopista *f*	autoestrada, rodovia
calzada *f*	pista
camión *m*	caminhão
cara *f*	rosto, cara
chocar	bater
choque *m*	batida
cinturón *m* de seguridad	cinto de segurança
conducir (-zc-)	dirigir
conductor *m*	motorista
culpa *f*	culpa
culpable	culpado
dar un frenazo	frear
de prisa	rápido, depressa
declaración *f*	explicação
declaración *f* de los hechos	boletim de ocorrência
desastre *m*	desastre
¿De verdad?	É mesmo?
evitar	evitar
frenazo *m*	freada
frenazo *m* de emergencia	freada de emergência
¡Gracias a Dios!	Graças a Deus!
hubo (*de* haber)	houve
huracán *m*	furacão
impresión *f*	impressão
llover (-ue-)	chover
nervioso, -a	nervoso, ansioso
nevar (-ie-)	nevar
niebla *f*	névoa, neblina
olvidar	esquecer
pálido, -a	pálido, -a
parte *f* trasera	traseira
peligroso, -a	perigoso
permiso *m* de conducir	carteira de habilitação
póliza *f* del seguro	apólice de seguro

Lição 20 — Vocabulário, país e cultura

preferencia *f*	preferencial	**respetar**	respeitar
prisa *f*	pressa	**susto** *m*	susto
¡Qué cara!	Que cara de pau!	**tener lugar**	acontecer, ocorrer
¡Qué horror!	Que horror	**tesis** *f*	tese
¡Qué pena!	Que pena!	**testigo** *m*	testemunha
reconocer (-zc-)	reconhecer, admitir	**tráfico** *m*	tráfico
remolcar	rebocar, guinchar	**vuelta** *f*	volta, retorno

Dirigindo na Espanha

Quando viajar pela Espanha de carro, certifique-se de levar consigo sua carteira de motorista, os documentos do veículo e o cartão do seguro. Cobertura de acidente e quebra para dirigir fora da Espanha também é recomendável.

O maior perigo que você encontrará nas estradas da Espanha é o impaciente estilo de dirigir dos espanhóis, já que a maioria dos acidentes acontece devido a manobras arriscadas de ultrapassagem. Se acontecer de você se envolver em um acidente com lesões pessoais, você pode evitar a prisão pagando uma multa, que normalmente terá de ser paga no local.

Também é obrigatório na Espanha levar lâmpadas sobressalentes para os faróis de seu carro.

LIÇÃO 21

¡Viva el deporte!

Karen: Carlos, ¿qué deporte practicabas cuando estabas en Argentina?
Carlos: En Argentina a mí me gustó el tenis.
Se puede decir que siempre me ha gustado.
Karen: ¿Qué deporte le gusta a la gente en Argentina?
Carlos: La gente en Argentina es fanática del fútbol. También yo soy muy aficionado al fútbol. De chico iba todos los domingos con mis amigos al campo de fútbol.
Cuando el partido era bueno volvíamos a casa contentísimos y muy cansados.
Karen: El sábado pasado Pedro y David fueron al estadio, jugaba el Real Madrid. Cuando llegaron a casa estaban muy sudorosos y sedientos... Quise ir con ellos pero ya no había entradas.

Lição 21   Diálogo

> Cuando cerraron las taquillas me fui a hacer footing. Quisiera ver un partido de fútbol alguna vez: Real Madrid contra un equipo latinoamericano, por ejemplo de Brasil o Argentina ...
>
> *Carlos:* Le voy a preguntar a José, él trabaja como vendedor en las taquillas del estadio Santiago Bernabéu.
>
> *Karen:* ¡Caramba! No está mal. Sabes, ¿cuánto cuesta la entrada?
>
> *Carlos:* Depende, si es un partido nacional o internacional.
>
> *Karen:* Le preguntas a José, ¿vale?
>
> *Carlos:* Sí, de acuerdo. ¿Y tú juegas al tenis?
>
> *Karen:* No, fui a clase hace años, pero ... Realmente a mí no me interesaba ni me gustaba mucho, pero ahora me gustaría hacer un curso.
>
> *Carlos:* Bravo, ¡viva el deporte! Si quieres, podemos jugar mañana.

Viva o esporte!

Karen: Carlos, que esporte você praticava quando estava na Argentina?

Carlos: Na Argentina comecei a gostar do tênis. Pode-se dizer que eu sempre gostei de jogar tênis.

Karen: Que esporte as pessoas gostam na Argentina?

Carlos: As pessoas na Argentina são fanáticas pelo futebol. Eu também sou muito fã de futebol. Quando era garoto ia todo domingo com os amigos ao campo de futebol. Quando o jogo era bom, voltávamos para casa muito contentes e bem cansados.

Diálogo, gramática — Lição 21

Karen: No sábado passado, Pedro e David foram ao estádio; o Real Madrid jogou. Quando chegaram em casa, estavam muito suados e morrendo de sede... Eu queria ir com eles, mas não havia mais ingressos. Quando fecharam as bilheterias, fui correr. Gostaria de ver uma partida de futebol alguma vez: Real Madrid contra um time latino-americano, do Brasil ou da Argentina, por exemplo...

Carlos: Vou perguntar ao José. Ele trabalha na bilheteria do estádio Santiago Bernabéu.

Karen: Uau! Nada mal. Você sabe quanto custa a entrada?

Carlos: Depende, se o jogo é nacional ou internacional.

Karen: Você pergunta para o José, está bem?

Carlos: Sim, com certeza. Você joga tênis?

Karen: Não, tive aulas há anos, mas... Na verdade não me interessava nem gostava muito, mas agora eu gostaria de fazer aulas.

Carlos: Bravo, viva o esporte! Se quiser, podemos jogar amanhã.

Comparação entre o imperfeito e o indefinido

Imperfeito

a) tempo passado sem referência ao começo ou final da ação
(Como estava algo?)
*Entonces **llovía** mucho.*
Naquela hora chovia muito.

Indefinido

a) ação completa no passado.
(O que aconteceu?)
***Llovió** mucho aquel año.*
Choveu muito naquele ano.

Lição 21 Gramática

> **Comparação entre o imperfeito e o indefinido**
>
> Imperfeito
>
> b) ações ou eventos que já estão em processo
> (O que está havendo?)
> *Sabía* de su enfermedad.
> Sabia de sua doença.
>
> c) ações habituais
> *Los domingos iban a la iglesia.*
> Aos domingos iam à igreja.
>
> d) ações paralelas
> *Mientras cantaban salían.*
> Enquanto cantavam, saíam.
>
> Indefinido
>
> b) ações ou eventos que começaram no passado
> (O que aconteceu então?)
> *Supo de su enfermedad.*
> Soube de sua doença.
>
> c) ação única
> *El domingo se fueron a la iglesia.*
> No domingo foram à igreja.
>
> d) ações em sequência
> *Cantaron y salieron.*
> Cantaram e saíram.

Exercício, gramática — Lição 21

Imperfeito ou *indefinido*?

Exercício 1

1. Normalmente (nosotros, comer) ... paella los domingos, pero aquel domingo (nosotros, tomar) ... un cocido madrileño.

2. Mientras (ellos, cenar) ... (mirar) ... la tele.

3. Mientras (yo, cocinar) ... (ella, arreglar) ... las camas.

4. Antes (él, fumar) ... más que ahora.

5. Cuando (yo, llegar) ... a casa, la puerta (estar) ... cerrada.

6. (ella, llegar) ... tarde, cuando la (esperar) ... Juan.

7. Todos los domingos (ellos, irse) ... al teatro, pero aquel domingo (ellos, irse) ... al cine.

8. Todas las Navidades mi madre (hacer) ... churros, la pasada Navidad (hacer) ... un pastel.

Repetindo pronomes objeto

A Lição 10 já destacou que o espanhol não corre riscos repetindo os pronomes.

Essa regra também é verdadeira quando se enfatiza um **substantivo anterior** que então é repetido com o **pronome:**
A los chicos **les** gusta el deporte.   Meninos gostam de esporte.
El café Triana **lo** conozco.   Eu conheço o café Triana.

Na **linguagem falada** o objeto geralmente é repetido usando-se um pronome **complemento** antes do verbo:
¿**Le** conoces **a mi padre**?   Você conhece meu pai?
Le preguntamos **a José.**   Perguntamos a José.

Lição 21 — Exercício, gramática

Exercício 2

Repita os substantivos usando os pronomes correspondentes.

1. La *puerta* ... he abierto yo.

2. Anoche ... encontramos a *Paco y Juana* en un bar.

3. *Estos libros* ... quería regalar a mi marido.

4. ... he encontrado a *Carlos* muy contento.

5. *Este abrigo* me ... compré hace dos semanas.

Exercício 3

Reescreva as frases e acrescente um pronome onde for necessário.

1. Este coche compró hace dos años.

....

2. ¡Qué hambre tenemos!

....

3. Preguntaremos a María si nos hace una paella.

....

4. Este libro debes comprar de todos modos.

....

Me gusta – me gustan

Em construções como

Me gusta el deporte. Gosto de esporte.

Me gustan las flores. Gosto de flores.

o **objeto vem antes** e o **sujeito vem depois** do verbo.
O verbo, porém, sempre concorda com o sujeito: *deporte* e *flores*. Em português, o sujeito do verbo é a pessoa (eu) e não a coisa "gostada", como em espanhol.

Exercício, gramática   Lição 21

Me gusta ou **me gustan?**

Exercício 4

A mí me ... jugar al fútbol, pero a Juanita le ... el alpinismo.
A mí me ... los churros, pero a mi madre le ... más los pasteles.
A mí me ... la música clásica, pero a mi hermano le ... el folklore.

Muy/mucho

Mucho antecede substantivos e sucede os verbos.
Concorda em gênero e número com o substantivo ao qual está relacionado:

Me gusta mucho **el deporte**.	Gosto muito de esporte.
Hay **muchas** *flores por aquí*.	Há muitas flores aqui.

Muy antecede adjetivos e advérbios:

Está **muy bien**.	Ele vai muito bem.
Llegaron **muy sedientos**.	Eles chegaram com muita sede.

Muy, mucho, muchos, mucha ou **muchas?**

Exercício 5

No me gusta ... trabajar en esa oficina, porque pasan ... coches y ... gente por allí, el aire está ... sucio. Además tengo que escribir ... Antes me gustaba ..., había ... árboles y el aire estaba ... limpio, todos estábamos ... contentos, nos quedábamos más tiempo en la oficina.

Lição 21 — Gramática, vocabulário

> **Jugar**
>
> Observe a seguinte construção que é específica do espanhol:
>
> **jugar + a + artigo + substantivo**
> **jugar al tenis** = jogar tênis
> **jugar a los naipes** = jogar cartas
>
> mas: **tocar la guitarra** = tocar violão
> **tocar el acordeón** = tocar acordeão

Vocabulário

abrigo *m*	casaco
acordeón *m*	acordeão
aire *m*	ar
alpinismo *m*	alpinismo
árbol *m*	árvore
¡Bravo!	Bravo!
campo *m* de fútbol	campo de futebol
¡Caramba!	Caramba! (*aqui:*) Uau!
churro *m*	churro
¿De acuerdo?	Certo?
deporte *m*	esporte
encantar a alguien	despertar a atenção de alguém
entrada *f*	entrada
equipo *m*	time
esquí *m*	esqui
estadio *m*	estádio
fanático, -a de	fanático, -a por
footing *m*	corrida
fumar	fumar
fútbol *m*	futebol
iglesia *f*	igreja
internacional	internacional
latino	latino
limpio, -a	limpo, -a
nacional	nacional
naipe *m*	carta de baralho
natación *f*	natação
Navidad *f*	Natal
palabra *f*	palavra
partido *m* de fútbol	jogo de futebol
por ejemplo	por exemplo
practicar	praticar
realmente	realmente
sediento	sedento
ser aficionado, -a a alguna cosa	ser fã de alguma coisa
sucio, -a	sujo, -a
sudoroso, -a	suado, -a
taquilla *f*	bilheteria
técnica *f*	técnica
tenis *m*	tênis
vendedor *m*	vendedor
viva	viva

Los días de la semana *Os dias da semana*

domingo *m*	domingo	**jueves** *m*	quinta-feira
lunes *m*	segunda-feira	**viernes** *m*	sexta-feira
martes *m*	terça-feira	**sábado** *m*	sábado
miércoles *m*	quarta-feira		

Para fãs

O futebol na Espanha é o principal esporte nacional. Os estádios mais famosos de Madri são o **Santiago Bernabéu**, casa do **Real Madrid**, e o **Vicente Calderón**. Madri tem, entretanto, muitas outras atividades esportivas a oferecer, como qualquer outra grande cidade.

Quem gosta de assistir a corridas pode visitar, à tarde, o **Hipódromo de la Zarzuela** para ver uma corrida de cavalo ou o **Canódromo Madrileño** para acompanhar corridas diárias de cachorro. Outra possibilidade é o **Frontón Madrid**, onde se pode assistir a um jogo vespertino de *jai alai* (ou pelota basca), um esporte muito rápido, parecido com o *squash*.

Quando se fala em atividades de lazer na Espanha, a corrida de touros *(la corrida)* deve ser mencionada, ainda que encante ou apavore. Há quatro categorias diferentes: **Corridas** com touros adultos *(toros)* que têm pelo menos quatro anos e pesam 500 kg. São lutas com experientes *toreros*, licenciados para lutar na grande arena. As *novilladas* são entre touros de três anos *(novillos)* e *toreros* que ainda não podem lutar na grande arena. Nas *becerradas*, se embatem touros jovens de até dois anos e toureiros que estão no início da carreira.
O *rejoneo* é lutado com o *torero* montado a cavalo e geralmente acontece antes da tourada em si. A temporada de touradas vai de março a outubro.

Teste 3

As letras nas caixinhas das respostas certas formam uma frase.

A resposta está na página 273.

1 Escolha uma das duas respostas, então vá para o quadradinho com o número de sua resposta.

2 Ellos ... frío.

tienen ⇨ 4
han ⇨ 29

6 ¡Falso!

Volver al nº 30

7 ¡Muy bien!   **L**
Tengo ... sed.

muy ⇨ 27
mucha ⇨ 23

11 ¡Qué bien!   **N**
Irlanda es siempre ...

gris ⇨ 3
verde ⇨ 30

12 ¡Falso!

Volver al nº 23

16 ¡Fantástico!   **!**
¡Fin colorín, colorado, este test se ha acabado! ¿Cuál es la frase?

17 ¡Bien!   **A**
Gracias ... tu ayuda.

para ⇨ 19
por ⇨ 5

21 ¡Falso!

Volver al nº 13

22 ¡Correcto!   **I**
Hoy ... a Jaime.

encontré ⇨ 18
he encontrado ⇨ 7

26 ¡Falso!

Volver al nº 9

27 ¡Falso!

Volver al nº 7

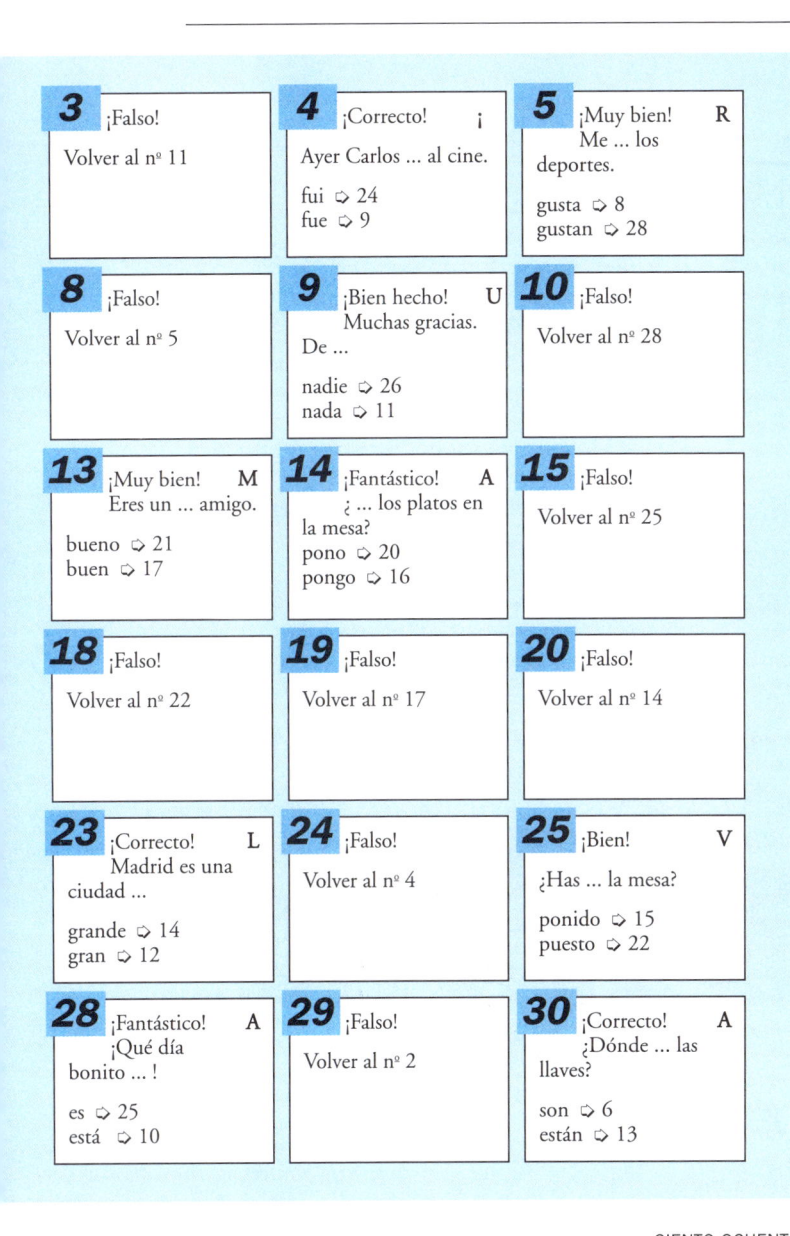

Teste 3

3 ¡Falso!

Volver al nº 11

4 ¡Correcto! i

Ayer Carlos ... al cine.

fui ⇨ 24
fue ⇨ 9

5 ¡Muy bien! R

Me ... los deportes.

gusta ⇨ 8
gustan ⇨ 28

8 ¡Falso!

Volver al nº 5

9 ¡Bien hecho! U

Muchas gracias. De ...

nadie ⇨ 26
nada ⇨ 11

10 ¡Falso!

Volver al nº 28

13 ¡Muy bien! M

Eres un ... amigo.

bueno ⇨ 21
buen ⇨ 17

14 ¡Fantástico! A

¿ ... los platos en la mesa?

pono ⇨ 20
pongo ⇨ 16

15 ¡Falso!

Volver al nº 25

18 ¡Falso!

Volver al nº 22

19 ¡Falso!

Volver al nº 17

20 ¡Falso!

Volver al nº 14

23 ¡Correcto! L

Madrid es una ciudad ...

grande ⇨ 14
gran ⇨ 12

24 ¡Falso!

Volver al nº 4

25 ¡Bien! V

¿Has ... la mesa?

ponido ⇨ 15
puesto ⇨ 22

28 ¡Fantástico! A

¡Qué día bonito ... !

es ⇨ 25
está ⇨ 10

29 ¡Falso!

Volver al nº 2

30 ¡Correcto! A

¿Dónde ... las llaves?

son ⇨ 6
están ⇨ 13

LIÇÃO 22

Busco un nuevo trabajo

Karen: Mañana compraré *El País* y miraré allí los anuncios de trabajo.

Carlos: ¿No te gusta el trabajo que tienes ahora?

Karen: Una se aburre, hago siempre lo mismo. El trabajo en la casa de los García no me llena.

Carlos: Iremos entonces a comprar el periódico y leeremos juntos las ofertas de trabajo.

Karen: Trabajaré en un hospital o en una clínica como enfermera.

Carlos: ¡Es duro el trabajo en un hospital!

Karen: Una se acostumbra a todo, además me gusta atender a los enfermos. Si mañana no encontramos anuncios interesantes, escribiré cartas a hospitales y clínicas solicitando un puesto de trabajo.

Carlos: ¿Qué es de Paula? Ella buscaba un trabajo como enfermera...

Karen: La próxima semana empezará a trabajar en la consulta del Dr. Jiménez, le pagará muy bien y como siempre tirará el dinero.

Diálogo Lição 22

Después de leer el periódico.
Karen: Llamaré por teléfono y concertaré una entrevista para mañana.
Carlos: ¿Qué les dirás a los García?
Karen: Les diré que saldré de casa una hora antes, así podré llegar a tiempo a la entrevista. Mañana tendré que levantarme temprano para preparar la comida. Me pondré la chaqueta roja, ¿no?
Carlos: Sí, ésa te queda estupendamente ... y además lloverá mañana. A ver si tienes suerte.

Karen al teléfono.
Karen: Buenos días, he leído su anuncio en el periódico de hoy ...
Secretaria: ¿Cuál es su profesión? ¿Tiene experiencia laboral?
Karen: Sí, soy enfermera, antes trabajaba en un hospital.
Secretaria: ¿Lleva Ud. mucho tiempo en Madrid?
Karen: Llevo tres meses aquí.
Secretaria: ¿Podría venir mañana a las 3.00 de la tarde para presentarse?
Karen: Sí, de acuerdo. Hasta mañana.

Em busca de um trabalho novo

Karen: Amanhã vou comprar *El País* e olhar os anúncios de emprego.
Carlos: Você não gosta do trabalho que tem agora?
Karen: É chato, faço sempre a mesma coisa. O trabalho na casa dos García não me satisfaz.
Carlos: Então vamos comprar o jornal e ler juntos as ofertas de emprego.
Karen: Vou trabalhar em um hospital ou uma clínica como enfermeira.

Lição 22 — Diálogo

Carlos: O trabalho em hospital é duro!
Karen: A gente se acostuma a tudo e, além disso, gosto de cuidar dos doentes. Se não encontrarmos anúncios interessantes amanhã, escreverei cartas a hospitais e clínicas pedindo emprego.
Carlos: E a Paula? Ela estava procurando um emprego de enfermeira...
Karen: Na próxima semana ela começa a trabalhar na clínica do Dr. Jiménez. Ele vai pagar muito bem e, como sempre, ela vai torrar o dinheiro.

Depois de ler o jornal.
Karen: Vou ligar e marcar uma entrevista de emprego para amanhã.
Carlos: O que vai dizer aos García?
Karen: Vou dizer que sairei de casa uma hora mais cedo, assim poderei chegar a tempo da entrevista.
Amanhã terei de levantar cedo para preparar a comida. Coloco o casaco vermelho, não?
Carlos: Sim, cai muito bem em você... e, por falar nisso, amanhã vai chover. Vamos ver se você tem sorte.

Karen ao telefone.
Karen: Bom dia, vi seu anúncio no jornal de hoje...
Secretária: Qual é a sua profissão? Você tem alguma experiência profissional?
Karen: Sim, sou enfermeira e já trabalhei em um hospital antes.
Secretária: Está em Madri há muito tempo?
Karen: Estou aqui há três meses.
Secretária: Você pode vir amanhã às três da tarde para a entrevista?
Karen: Posso, sim. Até amanhã.

Gramática — Lição 22

Futuro

infinitivo + -é / -ás / -á / -emos / -éis / -án → futuro

Todos os verbos têm as mesmas terminações. Elas estão ligadas ao infinitivo:

tomar	beber	vivir
tomar**é** eu tomarei	beber**é**	vivir**é**
tomar**ás**	beber**ás**	vivir**ás**
tomar**á**	beber**á**	vivir**á**
tomar**emos**	beber**emos**	vivir**emos**
tomar**éis**	beber**éis**	vivir**éis**
tomar**án**	beber**án**	vivir**án**

O futuro é usado para descrever uma ação, processo ou estado **no futuro**.

Solicitaré trabajo. Pedirei emprego.
Lloverá mañana. Choverá amanhã.
Viviré bien. Viverei bem.

Formas irregulares do futuro

Os radicais dos verbos que mudam no condicional também mudam no futuro:

saber → sa**bré**	venir → ven**dré**	querer → quer**ré**
haber → ha**bré**	poner → pon**dré**	decir → di**ré**
poder → po**dré**	salir → sal**dré**	valer → val**drá**
hacer → ha**ré**	tener → ten**dré**	

Lição 22 Exercício

Exercício 1

Preencha com as formas verbais usando o exemplo a seguir.

comprar	comprarán	compraréis	compraré
1. poder			
2. comer			
3. vivir			
4. hacer			
5. vender			

Exercício 2

Reescreva as sentenças seguindo o exemplo.

No voy al teatro. No iré al teatro.

1. No ponen música. ....
2. No sabe la lección. ....
3. Estoy feliz. ....
4. Hace frío. ....
5. Volvemos pronto. ....
6. José estudia español. ....
7. No quiero ir al café. ....

Exercício 3

Preencha com o futuro dos verbos.

El próximo domingo (yo, tener) ... una fiesta. Me (poner) ... mi traje más bonito e (invitar) ... a mucha gente. (Yo, tocar) ... la guitarra. (Nosotros, bailar y cantar) ... hasta las cinco de la madrugada. (Ser) ... muy divertido. Todos (estar) ... felices y (decir) ... que es la mejor fiesta de todo el año.

Gramática, exercício   Lição 22

> **Pronome sujeito uno/una**
>
> O **pronome sujeito *uno/una*** é usado apenas com **verbos reflexivos,** porque esses verbos não podem formar o impessoal ***se***.
>
> *uno/una se aburre*   a gente se chateia
> *uno se afeita*   a gente se barbeia
> *uno se va de paseo*   a gente vai passear

Reescreva as sentenças usando o pronome sujeito como no exemplo a seguir.

Por la mañana me levanto temprano.
Por la mañana uno se levanta temprano.

1. En España me suelo acostar tarde.

....

2. Nos divertimos mucho jugando al fútbol.

....

3. Los sábados no me aburro nunca.

....

4. Nos alegramos mucho de su suerte.

....

5. Cuando hace frío me pongo el abrigo.

....

6. Nosotros nos presentamos al profesor.

....

7. No me quedo nunca en casa.

....

Exercício 4

Lição 22   Exercício

Exercício 5

A lista a seguir contém algumas profissões que você aprendeu. Escreva nos locais adequados.

profesor, enfermera, pintor, secretaria, camarero, azafata

1. Trabajo en un restaurante, soy ...

2. Doy clases de español, soy ...

3. Hago cuadros, soy ...

4. Tengo que escribir muchas cartas en inglés, soy ...

5. Trabajo en un avión, soy ...

6. Me gusta atender a los enfermos, soy ...

Exercício 6

Leia o seguinte anúncio e decida quais das afirmações estão corretas ou incorretas.

Escuela de lenguas necesita **Profesor**. Personas de 25 a 28 años. Se requiere experiencia mínima de 2 años. Se valorarán buenos conocimientos generales. Trabajo en Madrid centro. Sueldo inicial aprox. 20.000 euros anuales. Interesados, concertar hora de entrevista al teléfono 275 46 70.

	Sí	No
1. Una clínica necesita a un profesor.		
2. Se necesita experiencia.		
3. Necesitan personas de 25 a 28 años.		
4. El trabajo está en Madrid centro.		
5. Se pagan exáctamente 20.000 euros por mes.		
6. Se exigen pocos conocimientos generales.		
7. Los interesados tienen que escribir una carta.		
8. Hay que concertar una entrevista por teléfono.		

Exercício, vocabulário — Lição 22

Você está procurando emprego. O que faz primeiro? Organize as sentenças na ordem correta.

1. Presentarse y tener una entrevista.
2. Comprar el periódico todos los días.
3. Empezar a trabajar.
4. Escribir cartas y solicitar un puesto de trabajo.
5. Buscar un nuevo trabajo.
6. Leer los anuncios de trabajo.

Exercício 7

Vocabulário

acostumbrarse a alguna cosa	acostumar-se a algo	*El País*	jornal espanhol
alegrarse	alegrar-se	emplear	empregar
anual	anualmente	enfermo *m*	doente
anuncio *m* de trabajo	anúncio de emprego	entrevista *f*	entrevista de emprego
aproximadamente (aprox.)	aproximadamente	escuela *f* de lenguas	escola de línguas
atender a alguien	cuidar de alguém	espalda *f*	costas
buscar	buscar, procurar	estómago *m*	estômago
		estupendo, -a	excelente
		exigir	exigir
cabeza *f*	cabeça	experiencia *f*	experiência
carta *f*	carta	experiencia *f* laboral	experiência de trabalho
chaqueta *f*	casaco		
clínica *f*	clínica	feliz	feliz
concertar (-ie-)	marcar	hombro *m*	ombro
conocimientos *m pl* generales	conhecimentos gerais	hospital *m*	hospital
		imaginarse	imaginar
consulta *f*	consultório médico	inicial	inicialmente
		interesado *m*	interessado
despedir a alguien	despedir alguém	laboral	profissional
		lección *f*	lição
dinero *m*	dinheiro	llenar	preencher
dolor *m*	dor	lluvia *f*	chuva
duro, -a	duro, -a	madrugada *f*	madrugada

Lição 22 — Vocabulário, país e cultura

médico m	médico	**requerir (-ie-)**	pedir, requerer
mínimo, -a	mínimo, -a		
oferta f **de trabajo**	oferta de trabalho	**secretaria** f	secretária
		solicitar a.c.	pedir, solicitar
pelo m	cabelo		
pierna f	perna	**sueldo** m	salário
presentarse	apresentar-se	**tirar**	jogar fora
profesión f	profissão	**valer**	valer
puesto m **de trabajo**	vaga, posto de trabalho	**valorar**	valorizar

O mercado de trabalho

O desemprego na Espanha tem diminuído nos últimos anos. As maiores cidades da Andaluzia foram as mais atingidas pelo desemprego. Em momentos como esses, as pessoas têm de lutar para ganhar seu sustento, como no Brasil.

Uma situação típica seria:

– ¿Usted podría emplear a mi hijo en su oficina?
– ¿Qué sabe hacer?
– Nada. Es por lo que le he despedido yo.

Paco en la consulta del médico:
Médico: Vamos a ver, ¿qué le pasa a Ud.?
Paco: Pues, verá Ud., tengo unos dolores muy fuertes en las piernas, en la espalda, en el hombro, en el estómago, en la cabeza ...
Médico: ¿Dónde tuvo el primer dolor?
Paco: En la oficina.

En el Rastro

Carmen: Karen, ¿por qué no nos tuteamos? Somos amigas, ¿no?
Karen: De acuerdo, gracias. A propósito: En la clínica buscaban a alguien para tres años por lo menos. Así que me voy a quedar con vosotros.
Carmen: ¡Estupendo! ¿Me quieres acompañar mañana al rastro?
Karen: Sí, con gusto. Esto me gusta más que cuidar a los niños.
Carmen: Todos los domingos por la mañana en las calles en el sur del barrio de San Isidro hay más gente de la que uno se puede imaginar. Allí se compra, se vende y – lo más importante – se regatea.

En el Rastro.
Karen: ¡Por Dios! ¡Qué mar de gente!
Carmen: Sí ... ¿Has visto ya esas lámparas? Son bonitas.
Karen: Sí, son más bonitas que las que están en la mesa.
Carmen: Seguramente serán caras, costarán más de lo que queremos pagar.
Karen: Vamos a preguntar por el precio, por si las moscas ... *(Al vendedor)* Señor, ¿por cuánto me daría esas lámparas?
Vendedor: ¿Las de la mesa? Se las dejo en 38 euros, ¿las quiere?
Karen: ¡Qué barbaridad! No, gracias. *(A Carmen)* Son más caras de lo que pensábamos.
Carmen: ¿Qué te parece este reloj?
Karen: ¿El del baúl? Será antiguo, ¿no?
Carmen: Antiquísimo. También esas tazas me chiflan. Serán de porcelana...
Karen: ¿A cuánto estarán? ¿Las compramos? *(Al vendedor)* ¿Cuánto valen estas tazas?
Vendedor: Esas 6 tazas valen 20 euros.
Karen: Son muy caras ...
Vendedor: ¿Cuánto me da?
Carmen: Por todo le doy 15 euros.
Vendedor: ¡Vale! Voy a empaquetárselas.
Carmen: Pues, es una verdadera ganga ¿no?

No mercado de pulgas

Carmen: Karen, por que não nos tratamos por "você" (o "tú" informal espanhol)? Nós somos amigas, não somos?
Karen: Concordo, obrigada. A propósito: na clínica estão procurando alguém que fique por pelo menos três anos. Então vou ficar com vocês.
Carmen: Excelente! Quer ir comigo amanhã ao mercado de pulgas?

Diálogo, gramática Lição 23

Karen: Sim, gostaria muito. Gosto mais disso do que de tomar conta das crianças.
Carmen: Aos domingos pela manhã, nas ruas do sul do bairro de San Isidro, tem mais gente do que se pode imaginar. Ali se compra, se vende e – o mais importante – se pechincha.

No mercado de pulgas.
Karen: Meu Deus! Que mar de gente!
Carmen: Sim... Você viu essas lâmpadas? São bonitas.
Karen: Sim, são mais bonitas do que as que estão na mesa.
Carmen: Com certeza serão caras, vão custar mais do que queremos pagar.
Karen: Vamos perguntar o preço, só por desencargo de consciência... (*Ao vendedor*) Senhor, por quanto faria essas lâmpadas?
Vendedor: Essas sobre a mesa? Deixo por 38 euros. Quer?
Karen: Que absurdo! Não, obrigada.
(*Para Carmen*) São mais caras do que pensávamos.
Carmen: O que você acha desse relógio?
Karen: O do baú? Provavelmente é antigo, não?
Carmen: Antiquíssimo. Essas xícaras me deixam louca. Devem ser de porcelana...
Karen: Quanto será que custam? Vamos comprar?
(*Para o vendedor*) Quanto custam essas xícaras?
Vendedor: As seis são 20 euros.
Karen: São muito caras...
Vendedor: Quanto vocês me dão?
Carmen: Dou 15 euros por todas elas.
Vendedor: Certo! Vou embrulhar.
Carmen: Essa é uma verdadeira pechincha, não?

Usando o futuro para fazer uma suposição

Será *caro.* Provavelmente é caro.
¿A cuánto **estarán**? Quanto custarão?

Além de **deber (de)** + **infinitivo**, o **futuro** geralmente é usado para se fazer uma suposição.

Lição 23 — Exercício, gramática

Exercício 1

Faça suposições, substituindo as palavras em itálico por palavras no tempo futuro.

Hoy no *ha venido* al colegio. No *está* en Madrid. Se *ha ido* a la playa a tomar el sol. *Ha ido* en tren. Se *queda* una semana. Me *llama* seguramente por teléfono para decirme cuando vuelve. Me *compra* un regalo.

Exercício 2

Siga o exemplo e transforme as perguntas em suposições.

¿Se han ido ya? Se habrán ido ya.

1. ¿Le dan el coche? ....
2. ¿Han terminado ya? ....
3. ¿Van a tu fiesta? ....
4. ¿Sabe inglés? ....
5. ¿Hace buen tiempo? ....
6. ¿Está de acuerdo? ....
7. ¿Ha escrito la carta? ....
8. ¿Llega mañana? ....

O artigo definido como pronome demonstrativo

Combinando com o *de* (genitivo), o artigo definido pode ser usado como pronome demonstrativo

No me gustan estas tazas. **Las de** *la mesa me gustan más.*
Eu não gosto dessas xícaras. Eu prefiro **aquelas** que estão em cima da mesa.

Este reloj es antiguo, pero **el del** *baúl es antiquísimo.*
Esse relógio é antigo, mas **aquele do** baú é mais antigo.

Gramática — Lição 23

Comparações com más/menos que

*Esto me gusta **más/menos que** cuidar a los niños.*
Gosto mais/menos do que de tomar conta das crianças.

Onde a comparação for concluída com um **substantivo** ou um **verbo no infinitivo**, use **más/menos que**.

*Hay más gente **de la que** uno se puede imaginar.*
Há mais gente do que se pode imaginar.

*Compramos más tazas **de las que** necesitamos.*
Compramos mais xícaras do que precisamos.

*Hacen más pan **del que** pueden comer.*
Eles fazem mais pães do que podem comer.

*Tenemos más amigos **de los que** queremos invitar.*
Temos mais amigos do que queremos convidar.

Comparações que terminam (**más/menos** + substantivo) com um **verbo conjugado** têm *de* + artigo do substantivo referindo-se a *(la, las, el, los)* antes do *que* e do verbo.

*Costarán más **de lo que** queremos pagar.*
Custarão mais do que queremos pagar.

*Esto es más complicado **de lo que** cree.*
Isso é mais complicado do que se imagina.

Se a primeira sentença tem **más/menos** sozinho ou com um **adjetivo**, é seguida por *de* + *lo* antes do *que* e do verbo.

Lição 23   Exercício

Exercício 3

Selecione a forma correta.

1. Estas flores son más bonitas ... parecían.
   a de lo que   **b** de las que   **c** que

2. Aprender el español es más fácil ... aprender el alemán.
   a de lo que   **b** que   **c** del que

3. En marzo ya hace menos frío ... en enero.
   a que   **b** del que   **c** de lo que

4. Escribe más cartas ... recibe.
   a de lo que   **b** que   **c** de las que

5. Ahora tiene más hambre ... tenía hace una hora.
   a que   **b** de la que   **c** de lo que

6. Había más gente en la calle ... uno se puede imaginar.
   a de la que   **b** de lo que   **c** que

Exercício 4

Preencha as lacunas.

1. Necesita más dinero en un día ... le pagan en una semana.

2. Compra más libros ... puede leer.

3. Ahora tiene más años ... tenía cuando era joven.

4. Tienes más trajes ... puedes llevar.

5. Habla mucho más ... pensábamos.

6. Las lámparas valen más ... queríamos pagar.

7. Le dan menos dinero ... merece.

8. He comprado mucho más pan ... necesitamos.

9. Tiene más amigos ... yo.

10. Le gusta más bailar ... trabajar.

Exercício　　　　　　　　　　　　　　　　　　Lição 23

O que é?

Exercício 5

1. rastro
a um rastro
b um mercado de pulgas
c um perfume

2. regatear
a trocar
b roubar
c pechinchar

3. ganga
a uma gangue
b uma galeria
c uma barganha

4. reloj
a um relógio
b uma xícara
c um candelabro

5. apañarse
a apanhar
b conseguir, se virar
c arrumar-se

Qual frase é a correta?

Exercício 6

1. a Muchísimos gracias.
   b Muchísimas gracias.

2. a Esto es más fácil de la que se cree.
   b Esto es más fácil de lo que se cree.

3. a Con mucho gusto.
   b Con mucho gusta.

4. a Le gusta más de cuidar a los niños.
   b Le gusta más que cuidar a los niños.

5. a El reloj parece antiquísimo.
   b El reloj parece antiquísima.

6. a ¿A cuánto estáran?
   b ¿A cuánto estarán?

Vocabulário

a propósito	a propósito
antiguo, -a	antigo, -a
barrio m	bairro
baúl m	baú
chiflar	deixar louco
complicado, -a	complicado, -a
costar (-ue-)	custar
cuidar a alguien	cuidar, tomar conta de alguém
empaquetar	embrulhar
¡Estupendo!	Excelente!
ganga f	barganha, pechincha
lámpara f	lustre
merecer (-zc-)	valer, merecer
pagar	pagar
por lo menos	pelo menos
por si las moscas...	por via das dúvidas
porcelana f	porcelana
¡Qué barbaridad!	Que absurdo!
¡Qué mar de...!	Que mar de...!
rastro m	mercado de pulgas
recibir	receber
regatear	pechinchar
reloj m	relógio
seguramente	certamente
taza f	xícara
tutearse	falar com a outra pessoa usando o tratamento informal "tú" (você)
vender	vender
verdadero, -a	verdadeiro, -a

El Rastro

O **Rastro** de Madri é considerado o maior mercado de pulgas do mundo. Nas manhãs de domingo, as ruas da região sul do bairro de San Isidro são tomadas por pessoas que querem comprar, vender e barganhar. Tudo – de roupas, vasilhas e panelas, coisas velhas e antiguidades (reais ou fajutas) – muda de mãos. O local fica cheio de observadores e charlatões, como os famosos trapaceiros e jogadores com seus jogos de adivinhação e mãos rápidas, que nunca perdem, mas desaparecem no minuto em que a polícia chega. Também são vistos estrangeiros praticando habilidades acrobáticas ou exibindo animais treinados.

Hacer unos recados

24

Carmen: No sé dónde he puesto las llaves del coche, no las encuentro.
Karen: Están colgadas en el llavero de la cocina.
Carmen: Sí, aquí están, gracias.
Karen: Carmen, la lavadora todavía no ha sido reparada. No podemos lavar este fin de semana.
Carmen: ¿Desde cuándo está estropeada?
Karen: Desde hace cuatro días.
Carmen: Pero, ¿por qué no me lo dijiste antes?
Karen: Se lo dije a Pedro hace dos días.
Carmen: Pedro está muy ocupado, su exposición ha sido prevista para la semana que viene.
Karen: Desde el martes trato de llamar al servicio de reparaciones, ese teléfono debe estar averiado, siempre está ocupado.
Carmen: La lavadora ha sido instalada por un vecino. En la guía de teléfonos debe estar escrito su número de teléfono, se llama Víctor Sánchez.

Lição 24 — Diálogo

Karen: Han llamado de la óptica. Dicen que tus gafas han sido arregladas.
Carmen: Ah ... mis gafas. ¿Tienes tiempo para hacerme un par de recados?
Karen: Sí, hoy es viernes, esta tarde no tengo clase.
Carmen: Necesito recoger las gafas de la Optica Paredes y comprar unos sellos, luego tengo que pasar por la panadería y la carnicería. No debo olvidarme, mis zapatos negros necesitan media suela y los marrones un arreglo de tacones.
Karen: La zapatería está cerrada ahora. Allí iré más tarde.
Carmen: Quería llevar también el vestido negro a la tintorería porque lo necesito para acompañar a Pedro a la exposición. ¿Te importaría llevarlo? Debe ser lavado en seco.
Karen: Ah, qué bien, de paso iré a la relojería y así mato dos pájaros de un tiro.

Executando tarefas

Carmen: Não sei onde coloquei as chaves do carro, não consigo encontrá-las.
Karen: Estão penduradas no porta-chaves da cozinha.
Carmen: Sim, aqui estão, obrigada.
Karen: Carmen, a máquina de lavar roupas ainda não foi consertada. Não podemos lavar roupas este fim de semana.
Carmen: Há quanto tempo está quebrada?
Karen: Há quatro dias.
Carmen: Mas por que você não me disse antes?
Karen: Falei para o Pedro há dois dias.
Carmen: Pedro está muito ocupado, a exposição dele está prevista para a semana que vem.
Karen: Desde terça-feira tenho tentado falar com o serviço de consertos, o telefone deve estar quebrado, está sempre ocupado.

Diálogo, gramática — Lição 24

Carmen:	A máquina de lavar foi instalada por um vizinho. Na lista telefônica deve ter seu número, o nome dele é Victor Sánchez.
Karen:	Ligaram da ótica. Disseram que seus óculos foram consertados.
Carmen:	Ah... meus óculos. Você tem tempo para me fazer uns servicinhos?
Karen:	Sim, hoje é sexta-feira e não tenho aulas à tarde.
Carmen:	Tenho que pegar meus óculos na Ótica Paredes e comprar alguns selos, depois tenho de ir à padaria e ao açougue. Não posso esquecer que meus sapatos pretos precisam de meia-sola e os marrons, de um conserto no salto.
Karen:	A sapataria está fechada agora. Vou até lá mais tarde.
Carmen:	Também queria levar o vestido preto ao tintureiro porque preciso dele para acompanhar Pedro à exposição. Você poderia levá-lo? Tem de ser lavado a seco.
Karen:	Ah, que bom, no caminho vou à relojoaria e assim acerto dois coelhos com uma cajadada só.

Voz passiva

ser + particípio passado = voz passiva

La lavadora **ha sido reparada**.	A máquina de lavar roupas foi consertada.
El libro **es escrito** *por él.*	O livro foi escrito por ele.
Las gafas van a **ser arregladas**.	Os óculos serão consertados.
El partido **fue ganado** *por nuestro equipo.*	O jogo foi ganho por nosso time.

■ O particípio passado muda na voz passiva.

Lição 24 — Exercício, gramática

Exercício 1

Reescreva as frases na voz passiva usando o exemplo a seguir.

Un ladrón robó el bolso.
El bolso fue robado por un ladrón.

1. La escuela de lenguas buscó a un profesor.

   ....

2. El huracán ha destruido toda la región.

   ....

3. El Real Madrid va a ganar el partido.

   ....

4. La chica ha denunciado el robo.

   ....

Passiva descritiva

estar + **particípio passado** = passiva descritiva
(Resultado de uma ação)

voz passiva	passiva descritiva
La lavadora ha sido arreglada.	*La lavadora está arreglada.*
A máquina de lavar foi consertada.	A máquina de lavar está consertada.

Exercício 2

Coloque na voz ativa as frases, seguindo o exemplo.

El libro fue leído por los alumnos.
Los alumnos leyeron el libro.

1. El premio fue ganado por mi hermano.

   ....

2. Las cartas han sido escritas por mi.

   ....

3. El coche fue robado por un ladrón.

....

> **Formas passivas com se**
>
> No espanhol falado, a forma passiva geralmente é substituída por uma combinação de **se** + verbo (a forma impessoal) ou pela 3ª pessoa do plural.
>
> *La lavadora* **se ha reparado.** A máquina de lavar foi consertada.
> **Han reparado** *la lavadora.* Consertaram a máquina de lavar.

Reescreva as frases na voz passiva com *se* e a terceira pessoa do plural.

1. Pasado mañana (terminar) el trabajo.

....
....

2. Nunca (saber) la verdad.

....
....

3. Algún día (encontrar) el bolso.

....
....

Exercício 3

> **Obrigações expressas com deber + infinitivo**
>
> **deber** + infinitivo = dever, ter de
> A Lição 19 já introduziu **debe (de)** + infinitivo como uma expressão de suposição.
> **Deber** + infinitivo (sem **de!**) é uma versão mais suave de **tener que:**
> **Debo ir** *a la panadería.* Devo ir à padaria.
> **No debo olvidar.** Não devo esquecer.

Lição 24 — Exercício, gramática

Exercício 4

Selecione a expressão correta.

1. Para ser profesor ... estudiar mucho.
 a se deben **b** deben de **c** hay que

2. El teléfono ... estar averiado.
 a hay que **b** debe de **c** se debe de

3. ... tener mucho ojo en una ciudad como ésta.
 a Debes de **b** Hay que **c** Deben

4. ... practicar mucho el español para aprenderlo bien.
 a Tienes que **b** Debes de **c** Se deben que

Quería – querría

Preste atenção à pronúncia:

***Quería** comprar este vestido.* Quis comprar esse vestido.

***Querría** comprar este vestido.* Gostaria de comprar esse vestido.

Desde, hace, desde hace

desde (desde) – começo de um intervalo de tempo que se estende ao presente:
***Desde** el martes trato de llamar.*
Desde terça-feira tenho ligado.

desde hace (há, faz) – intervalo de tempo que se estende ao **presente**:
*Está estropeada **desde hace** tres días.*
Está quebrada **há** três dias.

hace (há, faz) – tempo específico no passado:
*Se lo dije **hace** dos días.*
Falei para ele **há** dois dias.

Exercício, vocabulário — Lição 24

Exercício 5

***Hace, desde hace* ou *desde*?**

1. Nos visitaron ... unos días.
2. ¿... cuánto tiempo estudias español?
3. ¿... cuándo no has salido de casa?
4. Estudio español ... un año.
5. La lavadora está estropeada ... quince días.

Exercício 6

Passe para o espanhol.

Bom dia. Gostaria de falar com o Carlos. Quero perguntar-lhe se ele comprou ingressos. Gostaria de assistir ao jogo de futebol um dia.

Vocabulário

arreglado, -a	consertado, -a
arreglo *m*	conserto
averiado, -a	quebrado, -a, com defeito
carnicería *f*	açougue
colgar (-ue-)	pendurar
de paso	no caminho
desde hace	há, faz
desde	desde
estropeado, -a	quebrado, -a
exposición *f*	exposição
fin *m* de semana	fim de semana
guía *f* de teléfonos	lista telefônica
instalar	instalar
lavadora *f*	máquina de lavar roupas
lavar al seco	lavar a seco
llavero *m*	porta-chaves
marrón	marrom
matar dos pájaros de un tiro	acertar dois coelhos com uma cajadada só
matar	matar
media suela *f*	meia-sola
ocupado, -a	ocupado, -a
óptica *f*	ótica
pájaro *m*	pássaro
panadería *f*	padaria
prever	prever
recados *m pl*	pequenas tarefas
recoger	recolher, pegar
relojería *f*	relojoaria
reparar	consertar

Vocabulário, país e cultura

sello *m*	selo	tintorería *f*	tinturaria
semana *f* que viene	semana que vem	tiro *m*	tiro
servicio *m* de reparaciones	serviço de consertos	tratar de (+ inf.)	tentar
tacón *m*	salto	vecino *m*	vizinho
te importaría	você se importaria	zapatería *f*	sapataria
		zapato *m*	sapato

El estanco

Se você precisar de selos na Espanha, você pode comprá-los nas agências do correio e também nos *estancos*. Estes são tabacarias estatais facilmente reconhecíveis por suas vitrines, enfeitadas nas cores nacionais da Espanha, vermelho-amarelo-vermelho. Compre seus selos nessas lojas e você terá uma boa conversa grátis.

Madrid de noche

Karen: Carlos, me gustaría que salgamos juntos toda una noche en Madrid.
Carlos: ¿Quieres conocer la vida nocturna madrileña?
Karen: Sí, tú llevas más tiempo aquí, quiero que me hagas una sugerencia.
Carlos: Bueno, yo propongo que salgamos el viernes. La famosa noche madrileña empieza el viernes por la tarde y termina el lunes.
Karen: ¿En serio? No lo creo.
Carlos: ¡Si ya te lo he dicho! Los madrileños son unos locos. Son insaciables y tienen reglas fijas para divertirse.
Karen: Quiero que me lo expliques en forma más detallada.

Lição 25

Diálogo

Carlos: Vamos a conocer una serie de locales. Me parece bien que el viernes a las 2.00 de la tarde tomemos algo en una taberna. Pediremos que nos sirvan unas tapas y una copa de Rioja. Después quiero que nos pasemos al café Gijón en el Paseo de Recoletos.
Karen: Bueno, la noche es muy larga ¿no?
Carlos: ¿Quieres que saque entradas para el Teatro Monumental?
Karen: A decir verdad, me gustaría más que veamos un buen flamenco.
Carlos: Hay también clubs nocturnos donde bailan flamenco ... En la »Casa Patas« la entrada incluye una bebida.
Karen: De allí, ¿vamos a una discoteca?
Carlos: Todavía no. Según las reglas no se va a la discoteca antes de las 2.00 de la madrugada.
Karen: Toda la gente pasea por la Gran Vía a medianoche, ¿no?
Carlos: Claro. Yo propongo que conozcas la discoteca »Oh Madrid« que está en la carretera de La Coruña. Tienen una piscina.
Karen: Carlos, ¡quiero que pasemos allí la noche!
Carlos: Luego vamos a la discoteca »Voltereta«, está en el sótano de un gran almacén. Abren a las 7.00 de la mañana.
Karen: ¿A las 7.00 de la mañana?
Carlos: Si te lo he dicho: los madrileños son insaciables.

Madri à noite

Karen: Carlos, gostaria de sair com você por toda uma noite em Madri.
Carlos: Quer conhecer a vida noturna madrilena?
Karen: Sim, você está aqui há mais tempo, quero que me faça uma sugestão.

Diálogo

Lição 25

Carlos: Bem, proponho que saiamos na sexta-feira. A famosa noite madrilena começa na sexta à tarde e termina na segunda.
Karen: Sério? Não acredito.
Carlos: Sim, já te disse! Os madrilenos são loucos. São insaciáveis e têm regras fixas para se divertir.
Karen: Me explique em detalhes.
Carlos: Vamos conhecer vários lugares. Acho legal se na sexta às duas da tarde a gente tomar algo em uma taberna. Vamos pedir que nos sirvam umas "tapas" e uma taça de vinho Rioja. Depois vamos ao café Gijón no Paseo de Recoletos.
Karen: Bom, a noite vai ser longa, não?
Carlos: Você quer que eu compre ingressos para o Teatro Monumental?
Karen: Para dizer a verdade, preferia que fôssemos ver um bom flamenco.
Carlos: Há também casas noturnas onde se dança flamenco... Na "Casa Patas" a entrada inclui uma bebida.
Karen: Dali vamos a uma danceteria?
Carlos: Ainda não. Segundo as regras, não se vai à danceteria antes das duas da manhã.
Karen: Todo mundo passeia na Gran Vía à meia-noite, certo?
Carlos: Claro. Proponho que você conheça a danceteria "Oh Madrid", que fica na estrada para La Coruña. Eles têm uma piscina.
Karen: Carlos, quero passar a noite ali!
Carlos: Depois vamos à danceteria "Voltereta", fica no porão de uma loja de departamentos. Abre às sete da manhã.
Karen: Às sete da manhã?
Carlos: Como eu te disse: os madrilenos são insaciáveis.

DOSCIENTOS QUINCE **215**

Lição 25 — Gramática

O subjuntivo

O subjuntivo é usado principalmente para expressar uma **posição pessoal ou estado de espírito** (dúvida, incerteza, negatividade etc.) e para colocar algo em perspectiva ou qualificar algo que foi dito.

É introduzido principalmente com o **que** em **orações subjuntivas**, mas pode acontecer em orações principais, assim como em certas formas de imperativo.

Presente do subjuntivo

As formas do presente do subjuntivo derivam da 1ª pessoa do singular do presente do indicativo:

cant**ar** → cant**o** → cant**e**
cant**es**
cant**e**
cant**emos**
cant**éis**
cant**en**

pon**er** → pong**o** → pong**a**   serv**ir** → sirv**o** → sirv**a**
pong**as**   sirv**as**
pong**a**   sirv**a**
pong**amos**   sirv**amos**
pong**áis**   sirv**áis**
pong**an**   sirv**an**

Verbos terminados em **-ar** no subjuntivo terminam em **-e**, verbos terminados em **-er** e **-ir** terminam em **-a**.
Alguns verbos, porém, mudam de grafia:
pagar – pa**gue**/sacar – sa**que**

A **1ª e a 3ª pessoa do singular** são formadas **do mesmo modo**.
Verbos terminados em **-er** e **-ir** têm **as mesmas terminações!**

Exercício, gramática — Lição 25

Complete cada coluna com a 3ª pessoa do singular no presente do indicativo e do subjuntivo como no exemplo.

	traducir	traduce	traduzca
1.	conducir		
2.	tener		
3.	leer		
4.	escribir		
5.	subir		
6.	aprender		
7.	venir		

Exercício 1

O modo subjuntivo depois de expressões de desejos e sentimentos

O subjuntivo acompanha **verbos** que expressam um **desejo**.

Quiero que me acompañes.
Quero que você me acompanhe.

Deseo que le visitemos a él.
Quero que o visitemos.

Propone que conozcas el barrio.
Ele propõe que você conheça o bairro.

Espero que venga. Espero que ele venha.

¿Me permites que fume? Permite que eu fume?

Me gustaría que tomemos algo.
Gostaria que comêssemos algo.

O subjuntivo acompanha verbos que expressam **satisfação, prazer, alegria, arrependimento** etc.

Me parece bien que salgamos.
Acho legal que saiamos.

Me alegro de que me escribas.
Fico alegre que me escreva.

▶

Lição 25 — Gramática, exercício

> ***Lamento que** tengan cerrado.*
> Lamento que tenham fechado.

Exercício 2

Diga o que você deseja.

Quiero que

1. (nosotros, salir) toda una noche.
2. (nosotros, visitar) ... un bar.
3. (tú, sacar) ... una entrada para el teatro.
4. (tú, mirar) ... una película.

Exercício 3

Qual é a forma correta?

1. Karen desea que (salen, salgan) toda una noche.
2. Karen y Carlos (salen, salgan) toda una noche.
3. Me parece bien que nos (visitáis, visitéis) este fin de semana.
4. Vosotros nos (visitáis, visitéis) este fin de semana.
5. Propone que (toman, tomen) algo en una taberna.
6. (Toman, tomen) algo en una taberna.
7. Lamento que no la (ayudas, ayudes) con los ejercicios.

Exercício 4

Peça permissão.

¿Me permite que

1. (abrir) la puerta?
2. (fumar) un cigarrillo?
3. (salir) con su hija?
4. (hacer) una pregunta?
5. (visitar) a su familia?
6. (entrar) en su casa?

Gramática, vocabulário — Lição 25

Si

Você provavelmente já percebeu que o **si** significa **se:**

Si quieres, vamos al teatro.	Se quiser, podemos ir ao teatro.
No sé, si viene.	Não sei se ele vem.

Si também pode ser usado como **afirmação** ou **ênfase:**

¡Si te lo he dicho!	Sim, eu te disse!

Vocabulário

a decir verdad	para dizer a verdade	incluir	incluir
abanico *m*	leque	insaciable	insaciável
atraer	atrair	lamentar	lamentar
castañuelas *fpl*	castanholas	largo, -a	longo, -a
cigarrillo *m*	cigarro	local *m*	local, lugar
club *m* nocturno	casa noturna	loco *m*	louco
		madrugada *f*	madrugada
		mantón *m*	xale
contagiar	contagiar	melancólico, -a	melancólico, -a
detallado, -a	detalhado, -a	nórdico, -a	nórdico, -a
discoteca *f*	danceteria	orgullo *m*	orgulho
electrizar	eletrizar	palmoteo *m*	palmas ritmadas
¿En serio?	Sério?		
entrada *f*	entrada, ingresso	pasarse	passar, ir
		pasearse	passear
espectáculo *m*	espetáculo, show	pasión *f*	paixão
		permitir	permitir
fiebre *f*	febre	piscina *f*	piscina
fijo, -a	fixo, -a	proponer	propor, sugerir
flamenco *m*	flamenco		
gran almacén *m*	loja de departamentos	puro, -a	puro, -a

▶

DOSCIENTOS DIECINUEVE

regla f	regra	**terminar**	terminar, acabar
ritmo m **gitano**	ritmo cigano		
según	segundo	**toda una noche**	a noite toda
sentimiento m	sentimento		
sótano m	porão	**traducir (-zc-)**	traduzir
sugerencia f	sugestão	**tristeza** f	tristeza
tablao m **de flamenco**	palco de flamenco	**un montón de**	um monte de
taconeado m	sapateado	**una serie de**	uma série de
tener a disposición	ter à disposição	**vida** f **nocturna**	vida noturna

O flamenco

Os madrilenos são os que menos dormem na Europa, pois têm à disposição diversos bares, restaurantes, clubes noturnos, discotecas, cafés, casas de flamenco etc.

Lugares com apresentações de flamenco fazem sucesso entre os turistas. A música melancólica e o ritmo cigano, acompanhados de violões, castanholas, palmas, sapateado e movimentos, expressam tristeza e paixão. A saia, o leque e o xale expressam vida, um sentimento forte, puro orgulho. O flamenco é como uma febre que contagia e eletriza também o povo nórdico, geralmente tranquilo.

¡Feliz cumpleaños!

LIÇÃO 26

Carmen: ¡Muchas felicidades en tu cumpleaños, Karen!
El resto de la familia: ¡Feliz cumpleaños!
Karen: Gracias. ¡Qué bonita está la mesa!
Carmen: La hemos puesto los niños y yo. Puede ser que esté un poco festiva. Queremos que sepas que te queremos mucho.
Karen: Muchas gracias, sois tan amables todos. ¿Qué es esto?
Lucía: Son tus regalos. Este es mi regalo para tí.
Karen: ¡Qué bien envueltos están! Estoy muy curiosa.
Lucía: Quiero que empieces con mi regalo. Ojalá no sea difícil abrirlo.
Karen: A ver, a ver qué es ... ¡Una bufanda! ¡Qué bonita!

Lucía:	¿Te gusta? Es para cuando haga frío.
Karen:	Me encanta, Lucía. Muchas gracias.
David:	Este es mi regalo para tí.
Karen:	A ver, ¡oh! Un retrato. No creo que lo hayas hecho tú.
David:	Sí, para tí. Quizá no te reconozcas. Estás muy joven.
Karen:	Muchas gracias, David. No dudo que un día serás un gran pintor, como tu padre.
Pedro:	Ese es el regalo de Carmen y mío. Esperamos que te guste.
Karen:	Una blusa de seda. En rojo, mi color predilecto.
Carmen:	Sabemos que este color te va bien. Ahora nos sentamos todos a la mesa. La tarta la hemos preparado Lucía y yo. Es posible que no esté tan rica como se ve.
Pedro:	Vamos a probarla. No creo que esté mal.
Karen:	¡Qué rica está! Dejamos también un trozo para mi madre.
Pedro:	¿Viene tu madre?
Karen:	Sí, ¿no os lo he dicho? Llega el lunes en avión.
Pedro:	Entonces, iremos por ella al aeropuerto.
Carmen:	Y si quieres, puedes invitar a Carlos y a otros amigos a festejar esta noche en casa.
Karen:	Con mucho gusto. Hoy estoy realmente feliz. Gracias.

Feliz aniversário

Carmen:	Parabéns por seu aniversário, Karen!
O resto da família:	Feliz aniversário!
Karen:	Obrigada. A mesa está tão linda!

Diálogo — Lição 26

Carmen:	As crianças e eu arrumamos. Talvez esteja um pouco festiva demais. Queremos que você saiba que gostamos muito de você.
Karen:	Muito obrigada, vocês são tão amáveis. O que é isso?
Lucía:	São seus presentes. Este é o meu presente para você.
Karen:	Como estão bem embrulhados! Estou muito curiosa.
Lucía:	Quero que você comece pelo meu. Espero que não seja difícil de abrir.
Karen:	Vamos ver, vamos ver o que é... Um cachecol! Que lindo!
Lucía:	Gostou? É para quando fizer frio.
Karen:	Gostei muito, Lucía. Muito obrigada.
David:	Este é meu presente para você.
Karen:	Vamos ver. Oh! Um retrato. Não acredito que foi você quem fez.
David:	Sim, fiz para você. Talvez você não se reconheça. Você está muito jovem.
Karen:	Muito obrigada, David. Não duvido que um dia você será um grande pintor, como seu pai.
Pedro:	Este é o presente da Carmen e meu. Esperamos que você goste.
Karen:	Uma blusa de seda. Vermelha, minha cor predileta.
Carmen:	Sabemos que essa cor fica muito bem em você. Agora vamos sentar à mesa. Lucía e eu preparamos o bolo. Pode ser que não esteja tão gostoso quanto parece.
Pedro:	Vamos experimentar. Acho que não está nada mal.
Karen:	Que delícia! Vamos guardar um pedaço para a minha mãe.
Pedro:	Sua mãe está vindo?
Karen:	Sim, eu não contei? Ela chega na segunda-feira, de avião.
Pedro:	Então vamos ao aeroporto buscá-la.
Carmen:	E, se você quiser, você pode convidar o Carlos e seus outros amigos para festejar esta noite aqui em casa.
Karen:	Gostaria muito. Hoje estou realmente feliz. Obrigada.

DOSCIENTOS VEINTITRÉS

Lição 26 — Gramática

Formas irregulares do subjuntivo

ser	estar	saber	ir	haber
sea	esté	sepa	vaya	haya
seas	estés	sepas	vayas	hayas
sea	esté	sepa	vaya	haya
seamos	estemos	sepamos	vayamos	hayamos
seáis	estéis	sepáis	vayáis	hayáis
sean	estén	sepan	vayan	hayan

Mudanças para ditongo em verbos no modo subjuntivo

empezar	querer	poder	dormir
empiece	quiera	pueda	duerma
empieces	quieras	puedas	duermas
empiece	quiera	pueda	duerma
empecemos	queramos	podamos	durmamos
empecéis	queráis	podáis	durmáis
empiecen	quieran	puedan	duerman

Verbos nos quais o -*e*- ou -*o*- de seu radical mudam para -*ie*- ou-*ue*- no modo indicativo mantêm seu padrão irregular no modo subjuntivo também.

Gramática, exercício — Lição 26

O *modo subjuntivo* depois de expressões de *dúvida* e *esperança*

Depois de

esperar que	esperar (que)
no creer que	não acreditar (que)
dudar que	duvidar (de)

o verbo fica no subjuntivo.

O subjuntivo é usado para expressar **insegurança**.

Espero que no sea difícil.	Espero que não seja difícil.
No creo que te guste.	Não acho que você goste.
Dudo que te quede bien.	Duvido que caia bem em você.

O subjuntivo também é usado na oração principal depois de **ojalá** e **quizá/quizás**:

Ojalá te guste.	Tomara que goste.
Quizá no te reconozcas.	Talvez você não se reconheça.

Dependendo do grau de probabilidade, **quizás** também pode ser acompanhado do modo indicativo.

Reescreva as frases seguindo o exemplo.

Exercício 1

Creo que vienen. No creo que vengan.

1. No hay duda que estáis contentos.

   Dudo que....................

2. Javier cree que tendrá suerte.

   Javier no cree que....................

3. Creo que sabes cantar.

   No creo que....................

4. Creo que van a Granada este año.

   No creo que....................

Lição 26 Exercício, gramática

Exercício 2

Reescreva as frases seguindo o exemplo.

¿Es interesante? ¡Ojalá sea interesante!

1. ¿Tenéis tiempo?................
2. ¿Llevan abrigos?................
3. ¿Hace sol?................
4. ¿Hablas español?................

O subjuntivo depois de expressões impessoais

Depois de

es probable que	é provável (que)
puede ser que	pode ser (que)
es posible que	é possível (que)
es mejor que	é melhor (que)
es preciso que	é necessário (que)

o verbo fica no modo subjuntivo.

Es probable que venga. — É possível que venha.
Puede ser que haya llegado. — Pode ser que tenha chegado.
Es posible que esté aquí. — É possível que esteja aqui.
Es mejor que se quede en casa. — É melhor que fique em casa.

Exercício 3

Reescreva as frases.

1. Nos es imposible acompañaros.

   Es imposible que......................

2. Sería mejor para él quedarse en la cama.

   Es mejor que......................

3. Necesitamos salir.

   Es preciso que......................

4. Probablemente llega hoy.

   Es probable que......................

Gramática, exercício Lição 26

Cuando + subjuntivo

Cuando + subjuntivo expressa uma ação ou evento no **futuro**.

Cuando haga frío, te pones el abrigo.
Quando fizer frio, coloque o casaco.
Cuando te vayas a Inglaterra, será invierno.
Quando for à Inglaterra, será inverno.

Cuando + indicativo expressa um **hábito**.

Cuando hace frío, me pongo el abrigo.
Quando faz frio, coloco o casaco.

Complete com as formas verbais seguindo o exemplo.

¿Cuándo vas a pagar tus deudas?
Cuando tenga dinero.

1. ¿Cuándo (tu, venir) a visitarnos?

   Cuando (yo, tener tiempo).

2. ¿Cuándo (Karen, invitar) a sus amigos?

   Cuando (ella, hacer) cumpleaños.

3. ¿Cuándo (ir) tus padres de vacaciones?

   Cuando (querer).

4. ¿Cuándo (terminar) Pedro el cuadro?

   Cuando lo (necesitar).

Exercício 4

Observe os diferentes significados:

ser joven	**estar** joven	**ser** bonito	**estar** bonito
ser jovem	estar jovem	ser bonito	estar bonito
ser rico	**estar rico**	**ser listo**	**estar listo**
ser rico	estar gostoso	ser esperto	estar pronto

Lição 26 — Exercício, vocabulário

Exercício 5

***Ser* ou *estar*?**

1. Juan ... un chico muy listo, pero ... muy cansado hoy.
2. Mi abuela tiene ya 73 años, pero ... muy joven.
3. ¿Te gusta el pastel? Sí, ... muy rico.
4. Esa falda ... de algodón y te ... mejor.
5. ... un día bonito hoy.
6. ¡Qué bonita ... esta niña!

Exercício 6

Indicativo ou subjuntivo?

1. Me alegro tanto de que mi madre (haber) ... venido.
2. ¿Sabes cuándo (él, volver) ...?
3. Sé que (tú, tener) ... razón.
4. ¿Es verdad que (ellos, hablar) ... muy bien el español?
5. Ojalá (vosotros, descansar) ... esta noche.
6. Espero que no (tú, enfadarse) ... conmigo.

Vocabulário

bufanda *f*	cachecol	**festivo, -a**	festivo, -a
cumpleaños *m*	aniversário	**imposible**	impossível
curioso, -a	curioso, -a	**ojalá**	tomara
dejar	sair	**pastel** *m*	torta doce
deuda *f*	dívida	**predilecto**	predileto
dinero *m*	dinheiro	**quizá(s)**	talvez
dudar	duvidar	**regalo** *m*	presente
enfadarse	zangar-se	**resto** *m*	resto
envuelto, -a	embrulhado, -a	**retrato** *m*	retrato
festejar	festejar, celebrar	**rico, -a**	rico, (*aquí:*) delicioso

Vocabulário

sentarse (-ie-)	sentar-se	**tener razón**	ter razão, estar certo
ser preciso	ser preciso		
ser probable	ser provável	**trozo** *m*	pedaço
tarta *f*	bolo de aniversário	**un día**	um dia
		usar	usar

Vocabulário adicional

¡Mucha suerte! Boa sorte!

O que se diz nessas ocasiões?

cumpleaños	***aniversário***	***examen etc.***	***exames etc.***
¡Feliz cumpleaños!	Feliz aniversário!	**¡Mucha suerte!**	Boa sorte!
¡Muchas felicidades!	Muitas felicidades!	**¡Mucho éxito!**	Sucesso!
Pascuas/ Navidades	***Páscoa/ Natal***	***fin de semana***	***fim de semana***
¡Felices Pascuas!	Feliz Páscoa!	**¡Buen fin de semana!**	Tenha um bom fim de semana!
¡Feliz Navidad!	Feliz Natal!		
		vacaciones	***férias***
Año Nuevo	***Ano Novo***	**¡Felices vacaciones!**	Boas férias!
¡Feliz Año Nuevo!	Feliz Ano Novo!	**¡Buen viaje!**	Boa viagem!
		felicitar	***felicitar***
		¡Enhorabuena!	Congratulações! Parabéns!

Lição 26 — País e cultura

Festividades

La Pascua se refere geralmente às maiores festas cristãs: **La Pascua de Navidad**, Natal; **La Pascua Florida** ou **de Resurrección**, Páscoa; e **La Pascua de Pentecostés**, Pentecostes.

Las Pascuas, por sua vez, significa o intervalo de tempo entre as maiores festas cristãs, ou seja, o período entre a véspera do Natal e o dia de Reis, e, na Páscoa, a Semana Santa do Domingo de Ramos até a Pascoela (segunda-feira após a Páscoa).

Os espanhóis adoram uma boa celebração e nunca vão recusar a oportunidade de celebrar. Algumas das datas comemorativas mais importantes são:

Año Nuevo (Ano-Novo)
Los Reyes Magos (Dia de Reis)
Las Fallas (festa de origem pagã em Valência, na qual imagens de papel são queimadas para expulsar o inverno)
La Feria de Sevilla (famosa feira de primavera em Sevilha)
La Ascensión (Ascensão)
La Asunción (Assunção de Maria)
El Día de la Hispanidad (Dia da Hispanidade, 12 de outubro, descobrimento da América)
El Día de la Constitución (Dia da Constituição, 6 de dezembro)
La Inmaculada (Imaculada Conceição)
Nochebuena (Noite de Natal, 24 de dezembro)
Nochevieja (Noite de 31 de dezembro, passagem para o Ano-Novo)
Añoviejo (Último dia do ano)

50 euros por noche

Recepcionista: Hotel Europa, buenas noches.
Karen: Buenas noches, ¿tienen Uds. habitaciones libres?
Recepcionista: Sí, ¿desea una doble o una individual?
Karen: Una individual con baño que sea tranquila y que dé al patio.
Recepcionista: ¿Para cuándo la necesita?
Karen: A partir del lunes.
Recepcionista: ¿Para cuántas noches la desea?
Karen: Para tres noches. ¿Cuánto cuesta la habitación?
Recepcionista: 50 euros por noche. El desayuno está incluido en el precio. ¿A nombre de quién?
Karen: De Helga Muller.
Recepcionista: Ya he tomado nota, gracias.

Karen habla con Carmen.
Karen: Acabo de reservar una habitación para que se aloje mi madre. ¡Ojalá le guste!
Carmen: ¿En qué hotel?

Lição 27 — Diálogo

Karen: En el Hotel Europa. Es un hotel como para ella, es confortable y realmente barato.
Carmen: ¿Tu madre viene solo para visitarte?
Karen: No, no solo para eso. Ahora tiene la oportunidad de conocer este país y después pasará unos días de vacaciones viajando por España. Bueno, a no ser que Madrid le guste más. Pero no creo que se quede mucho tiempo. A ella no le gustan las ciudades grandes.
Carmen: ¿Qué le gustaría ver a ella?
Karen: Le gustaría visitar un par de provincias, luego irse a una isla para bañarse y disfrutar del sol, del agua ... Quizá regrese luego a Madrid. No es mala idea ¿no?
Carmen: En caso que ella necesite algunas direcciones, tenemos amigos por todas partes. Por mucho que ella viaje o lea no llegará a conocer España tan bien como con españoles. ¡Eso ya lo sabes tú!
Karen: Sí, es verdad. Hasta que ella llegue podré conseguir más informaciones sobre España para que ella pueda planear: un guía, un mapa, un plano de la ciudad. ¡Estoy tan contenta de que ella venga!

50 euros por noite

Recepcionista: Hotel Europa, boa noite.
Karen: Boa noite. Vocês têm quartos livres?
Recepcionista: Sim, quer um quarto duplo ou individual?
Karen: Um individual com banheiro, que seja tranquilo e que dê para o pátio.
Recepcionista: Para quando precisa dele?
Karen: A partir de segunda-feira.
Recepcionista: Para quantas noites?
Karen: Para três noites. Quanto custa o quarto?

Recepcionista:	50 euros por noite. O café da manhã está incluído no preço. Em nome de quem?
Karen:	Helga Muller.
Recepcionista:	Já anotei, obrigada.

Karen fala com Carmen.

Karen:	Acabei de reservar um quarto para que minha mãe se hospede. Tomara que ela goste.
Carmen:	Em que hotel?
Karen:	No Hotel Europa, é perfeito para ela. É confortável e barato.
Carmen:	Sua mãe vem só para te visitar?
Karen:	Não, não só para isso. Ela está aproveitando a oportunidade para conhecer o país e depois passará uns dias de férias viajando pela Espanha. Bem, a menos que goste mais de Madri. Mas não acho que vai ficar muito tempo. Ela não gosta de cidades grandes.
Carmen:	O que ela gostaria de ver?
Karen:	Gostaria de visitar algumas províncias, e depois ir a uma ilha para ir à praia e aproveitar o sol, a água... Talvez ainda volte a Madri. Não é má ideia, não é?
Carmen:	Caso ela precise de alguns endereços, temos muitos amigos em toda parte. Por mais que ela viaje ou leia, não chegará a conhecer a Espanha tão bem como com espanhóis. Isso você já sabe!
Karen:	Sim, é verdade. Até ela chegar poderei conseguir mais informações sobre a Espanha para que ela possa se planejar: um guia, um mapa, um mapa da cidade. Estou tão feliz que ela vem!

Subjuntivo de dar

dar dar

dé	demos
des	deis
dé	den

Lição 27 Exercício, gramática

Exercício 1

Coloque os verbos na 3ª pessoa do singular do presente do subjuntivo seguindo o exemplo.

tener – tenga

oír....... ir....... haber.......
venir....... estar....... empezar.......
decir....... sentir....... ser.......
dar....... dormir....... bailar.......
querer....... salir....... vivir.......

Subjuntivo depois de conjunções específicas

Conjunções que expressam uma **intenção, dúvida, probabilidade** ou uma **situação hipotética** ou as que se referem a uma **ação futura** são seguidas do **modo subjuntivo**.

para que pueda viajar
para que ela possa viajar

a no ser que Madrid le guste más
a não ser que ela goste mais de Madri

en caso (de) que ella necesite algunas direcciones
no caso de ela necessitar de alguns endereços

El perro no ladra sin que se lo permita.
O cão não late **sem que** se permita.

Tengo que estar en casa antes que venga mi madre.
Tenho que estar em casa **antes que** minha mãe chegue.

Por mucho que ella viaje y lea...
Por mais que ela viaje e leia...

Hasta que ella llegue, podré conseguir más informaciones.
Até que ela chegue, poderei conseguir mais informações.

Exercício, gramática   Lição 27

Acrescente a forma correta do verbo.

1. En caso que (tú, querer) salir por las noches tienes que comportarte bien.
2. Por mucho que (ir) al estadio no aprenderemos nunca a jugar al fútbol.
3. Cuando (llegar) tu abuelo me avisas.
4. Transcurre el año sin que (nosotros, ir) a España.
5. Cuando (yo estar) en Madrid, iba todos los días al Retiro.
6. Hasta que tú no me (decir) la verdad, no te miraré.
7. Le llamo antes de que me (ver).

Subjuntivo em orações relativas

O **subjuntivo** é usado em orações relativas para expressar **desejos** ou **condições**:
*Una habitación individual con baño **que sea** tranquila y **que dé** al patio.*
Um quarto individual com banheiro que seja tranquilo e dê para o pátio.

Passado imediato

acabar + ***de*** + **infinitivo** = acabou de fazer algo
Acabo de llamar *a mi madre.*
Acabei de chamar minha mãe.
Acaban de llegar *a casa.*
Eles acabaram de chegar em casa.

Lição 27 — Exercício, gramática

Exercício 3

Você acaba de fazer o que pediram. Responda como no exemplo.

¿Has preparado la comida?
Acabo de prepararla.

1. ¿Has puesto la mesa?
2. ¿Has encontrado a Adela?
3. ¿Has comprado pan para mañana?
4. ¿Has visto esta película?
5. ¿Has solicitado un pasaporte nuevo?
6. ¿Has reservado una habitación para tu amiga?

¿Cuánto?

¿Cuánto? é usado para perguntar sobre uma quantidade. Varia como um adjetivo em relação ao substantivo.

*¿**Cuánto** cuesta la habitación?*
Quanto custa o quarto?

*¿Para **cuántas** noches la necesita?*
Por quantas noites você precisa?

Exercício 4

Selecione a forma verbal correta.

1. Tenemos una secretaria que ... perfectamente inglés.
   a habla
   b hable

2. Buscamos a un profesor que ... tocar la guitarra.
   a sabe
   b sepa

3. ¿Cuándo me ... el dinero?
   a prestas
   b prestes

4. Espero que os ... el pastel que he hecho.
   a gusta
   b guste

5. Creo que ... aún de viaje.
   a estén
   b están

6. Es posible que no nos ...
   a visitan
   b visiten

Exercício, vocabulário — Lição 27

Substitua a palavra em itálico por seu antônimo.

Exercício 5

1. La habitación es muy *barata*/.....
2. Hoy es el *último*/..... día de trabajo.
3. La panadería está *abierta*/.....
4. En la calle hay *poca*/..... gente.
5. Este libro es muy *interesante*/.....
6. Nos levantamos siempre *tarde*/.....
7. Esta ciudad es *antigua*/.....
8. El jardín de mis amigos es *grande*/.....

Selecione a forma correta.

Exercício 6

1. ¿*Cuánto/cuántos* cuestan los tomates?
2. ¿Para *cuántos/cuántas* días las necesita?
3. ¿*Cuánta/cuántas* gente viene a tu fiesta?
4. ¿Para *cuántos/cuántas* tenemos que cocinar?
5. ¿*Cuántas/cuántos* canciones sabes tocar con la guitarra?
6. ¿*Cuánto/cuántos* tiempo llevas en Madrid?

Vocabulário

a no ser que	a não ser que	**como para**	como para
a partir de	a partir de	**comportarse**	comportar-se
acabar	acabar, terminar	**confortable**	confortável
		conseguir (-i-)	conseguir
alojarse	ficar, hospedar-se	**contento, -a**	contente, satisfeito, -a
avisar a alguien	avisar alguém	**en casa de**	na casa de
		en caso que	no caso de
bañarse	tomar banho		

Lição 27 — Vocabulário, país e cultura

habitación *f* doble	quarto duplo	prestar	emprestar
		provincia *f*	província
habitación *f* individual	quarto individual	recepcionista *m/f*	recepcionista
hotel *m*	hotel	tomar nota	anotar, tomar nota
isla *f*	ilha		
jardín *m*	jardim	transcurrir	transcorrer
oportunidad *f*	oportunidade	un par de	um par de, alguns
planear	planejar		
por mucho que	por mais que		

Acomodações

A Espanha oferece aos visitantes uma ampla gama de acomodações noturnas, de albergues da juventude **(albergue de juvenil)** até hotéis cinco estrelas **(hotel)**.

Refugios são pousadas pequenas em regiões afastadas ou montanhosas.

Um **apartamento amueblado** é um apartamento mobiliado, especialmente em locais turísticos.

Hostales são hotéis modestos, em geral familiares.

Uma **pensión** é pensão, classificada de uma a três estrelas.

Uma oportunidade especial, porém, é passar uma noite em um dos muitos **Paradores Nacionales**. São antigos castelos, monastérios e até palácios que foram convertidos em hotéis.

Todos os tipos de acomodação, incluindo campings, podem ser encontrados nos centros de informações turísticas, em seus **Guías de hoteles y pensiones**.

Una noche con los amigos

LIÇÃO 28

Carlos: Karen, acaba de llamar un amigo mío. Nos ha invitado a cenar esta noche en su casa.
Karen: ¿Un amigo tuyo?
Carlos: Sí, Mario Ibáñez, es madrileño de pura cepa. Lleva casi un año trabajando en Barcelona. Su madre desea celebrar su visita.

En casa de los Ibáñez.
Mario: Carlos, ¡cuánto tiempo sin verte, hombre! Entrad.
Carlos: ¡Caramba, Mario! ¡Qué sorpresa! Mira, te presento a Karen.
Mario: Encantado. Sentaos, ahí viene mi madre.
Carlos: Doña Eva, ¿cómo está? ... Los años no han pasado para Ud.
Eva: Gracias. Carlos, tú no has cambiado nada, como siempre tan galante. Karen, bienvenida a casa.

Lição 28   Diálogo

Karen:	Muchas gracias, Sra. Ibáñez.
Eva:	Hace tanto calor aquí por el horno. Mario, abre la ventana, por favor.
Mario:	Mi madre ha preparado las famosas empanadas para que las pruebe Karen.
Eva:	Sírvase, Karen. Las tiene que probar calientes. Mario, Carlos, servíos.
Karen:	¿Son todas iguales?
Eva:	No. Estas son de pollo, éstas de carne picada y ésas de verdura.
Karen:	¡Qué sabrosas! ... Carlos, pruébalas. Están buenísimas.
Mario:	Carlos, tomemos primero un vino tinto.
Eva:	Mario, he olvidado la botella en la cocina. Llévate estos vasos porque no los vamos a necesitar si bebemos vino, por favor.
Mario:	¿Y dónde está el vino?
Eva:	Abre el armario de la izquierda, allí están las botellas. Karen, la casa suya está cerca, así que visíteme. Generalmente estoy en casa. Pero llámeme por teléfono para mayor seguridad.
Karen:	Sí, lo haré con gusto.
Eva:	Mario, quedan algunas empanadas en el horno. Apágalo, por favor.

Uma noite com amigos

Carlos:	Karen, um amigo meu acabou de ligar. Ele nos convidou para jantar em sua casa esta noite.
Karen:	Um amigo seu?
Carlos:	Sim, Mario Ibáñez, é um madrileno da melhor estirpe. Está trabalhando em Barcelona há quase um ano. A mãe dele quer comemorar sua visita.

Diálogo

Na casa da família Ibáñez.

Mario: Carlos, há quanto tempo não nos vemos, cara! Entrem.
Carlos: Puxa vida, Mario! Que surpresa!
Veja, esta é Karen.
Mario: Prazer em conhecê-la. Sentem-se. Aí vem a minha mãe.
Carlos: Dona Eva, como vai?... Os anos não passaram para a senhora.
Eva: Obrigada, Carlos, você também não mudou nada, como sempre tão galante. Karen, bem-vinda à nossa casa.
Karen: Muito obrigada, sra. Ibáñez.
Eva: Está muito quente aqui por causa do forno.
Mario, abra a janela, por favor.
Mario: Minha mãe preparou suas famosas empanadas para a Karen experimentar.
Eva: Sirva-se, Karen. Tem de experimentá-las ainda quentes. Mario, Carlos, sirvam-se.
Karen: São todas iguais?
Eva: Não, estas são de frango, aquelas, de carne moída e estas, de verdura.
Karen: Que saborosas!... Carlos, experimente-as. Estão deliciosas.
Mario: Carlos, vamos tomar primeiro um vinho tinto.
Eva: Mario, esqueci a garrafa na cozinha. Leve esses copos, por favor, não vamos precisar deles se vamos tomar vinho.
Mario: E onde está o vinho?
Eva: Abra o armário da esquerda, ali estão as garrafas. Karen, sua casa é perto, venha me visitar. Geralmente estou em casa. Mas me ligue para ter certeza.
Karen: Sim, com muito prazer.
Eva: Mario, ficaram algumas empanadas no forno. Desligue-o, por favor.

Lição 28 — Gramática, exercício

Imperativo (afirmativo)

	tú	Ud.	vosotros	Uds.
comprar	compra	compre	comprad	compren
beber	bebe	beba	bebed	beban
escribir	escribe	escriba	escribid	escriban

O **imperativo** é usado para expressar um **pedido** ou uma **exigência**.

A 2ª **pessoa do singular** *(tú)* aqui corresponde à 3ª pessoa do singular do presente do indicativo:

¡**Pasa** por mi casa! — Passa em minha casa!
¡**Lee** el libro! — Lê o livro!
¡**Recibe** a mis amigos! — Recebe meus amigos!

As **pessoas formais** *(Ud., Uds.)* são formadas com as terminações do **presente do subjuntivo**.

¡Pas**en** Uds. por mi casa! — Passem em minha casa!
¡Le**a** el libro! — Leia o livro!
¡Recib**an** a mis amigos! — Recebam meus amigos!

Na 2ª **pessoa do plural** *(vosotros)*, as terminações **-ad** (para verbos terminados em **-ar**) e/ou **-ed** e **-id** (para verbos terminados em **-er** e **-ir**) estão unidas ao **radical**.

¡Pas**ad** por mi casa! — Passai em minha casa!
¡Le**ed** el libro! — Lede o livro!
¡Recib**id** a mis amigos! — Recebei meus amigos!

Verbos reflexivos perdem o **-d-**: sentados → sentaos

Exercício 1

Complete com as formas verbais do imperativo afirmativo.

	tú	vosotros		tú	vosotros
1. conducir			**4.** jugar		
2. recibir			**5.** vender		
3. volver					

Exercício, gramática Lição 28

Exercício 2

Responda no imperativo seguindo o exemplo.

¿Puedo ir a casa? Sí, vaya a casa (usted).

1. ¿Puedo fumar? .... (tú)

2. ¿Puedo abrir la ventana? .... (Ud.)

3. ¿Podemos cantar y bailar? .... (vosotros)

4. ¿Cierro la puerta? .... (tú)

5. ¿Hablamos español? .... (Uds.)

6. ¿Compro pan? .... (tú)

7. ¿Puedo conducir yo? .... (Ud.)

8. ¿Podemos acompañar a Pilar? .... (vosotros)

Pronomes e o imperativo afirmativo

O pronome pessoal está unido à forma imperativa, sendo que o objeto indireto tem prioridade sobre o objeto direto:

¡Pruébe**selas**!   Experimente-as!
¡Sírve**te**!   Sirva-se!

Exercício 3

Reescreva as frases no imperativo e acrescente os pronomes de acordo com o exemplo.

Comprar el vestido. (tú) Cómpralo.

1. Mirar la televisión. (Ud.)

2. Preparar la comida. (vosotras)

3. Escribir la carta. (tú)

4. Arreglar la cama. (tú)

5. Comprar el periódico. (Ud.)

6. Sacar entradas. (Uds.)

Lição 28 — Gramática, exercício

Pronomes possessivos

singular
masc./fem.

plural
masc./fem.

mío/mía	*míos/mías*	meu(s)/minha(s)
tuyo/tuya	*tuyos/tuyas*	teu(s)/tua(s) *(inform.)*
suyo/suya	*suyos/suyas*	seu(s)/sua(s) *(form.)*
nuestro/nuestra	*nuestros/nuestras*	nosso(s)/nossa(s)
vuestro/vuestra	*vuestros/vuestras*	vosso(s)/vossa(s) *(inform.)*
suyo/suya	*suyos/suyas*	seu(s)/sua(s) *(form.)*

Enquanto os determinantes possessivos *mi, tu, su* etc. sempre antecedem o substantivo, os pronomes possessivos tônicos são usados nas seguintes construções:

un + substantivo *+ mío: un amigo mío* (um amigo **meu**)
ser + mío: la blusa es mía (esta blusa **é minha**)
el + mío: éste abrigo es el mío (este casaco é **meu**)
¡substantivo *+ mío!: ¡Dios mío!* (Meu Deus!)

Os **pronomes possessivos** tônicos concordam com o **substantivo** em **gênero** e **número**.

Exercício 4

Complete com o pronome possessivo adequado.

1. Estas gafas son ... (yo)

2. El libro es ... (usted)

3. El coche es ... (vosotros)

4. ¿Es ... (nosotros) esta maleta?

5. Los zapatos marrones son ... (tú).

6. Una hermana ... (él) me va a visitar esta tarde.

7. ¡Hija ...! ¿Qué has hecho?

Gramática, exercício Lição 28

Tan e tanto

Tanto, -a, -os, -as antecede o substantivo e concorda com ele em gênero e número:
tanto calor **tantos** homens
tanta gente **tantas** amigas

Tanto, assim como *mucho*, também pode ser usado como advérbio e neste caso permanece **inalterado**:
bebe **tanto** ele bebe tanto
lamenta **tanto** ele reclama tanto

Tan (tão), assim como *muy*, antecede adjetivos e advérbios:
sois **tan amables** sois tão amáveis
toca **tan bien** la guitarra ele toca violão tão bem

Tan, tanto ou tanta?

1. Estoy cansada de ... trabajo.
2. Gracias, sois ... amables.
3. Hay ... gente en la calle que no se puede caminar.
4. Tiene ... dinero que no sabe como gastarlo.
5. Ha llovido ... poco este año como nunca.

Exercício 5

Qual é a resposta correta?

1. ¿Dónde trabaja?
a En una oficina.
b Soy médico.

2. ¡Visítame! Podemos salir juntas.
a Sí, me gusta muchísimo.
b Gracias, con gusto.

3. ¡Qué joven estás!
a Sí.
b Gracias.

4. Mira, aquí te presento a mi marido.
a Encantado.
b ¿En qué trabaja?

Exercício 6

Vocabulário

apagar	apagar/desligar	igual	igual
armario *m*	armário	izquierda *f*	esquerda
cambiar	mudar	lamentar	reclamar, lamentar
carne *f* picada	carne moída	mío	meu
celebrar	celebrar/comemorar	para mayor seguridad	para maior segurança
como siempre	como sempre	recibir	receber
de pura cepa	de boa estirpe, legítimo	sabroso, -a	saboroso, -a
empanadas *f pl*	pastel assado com diversos recheios	seguridad *f*	segurança
		sentarse (-ie-)	sentar-se
		servirse (-i-)	servir-se
		suyo, -a	seu, sua *(form.)*
galante	galante	tuyo, -a	teu, tua *(inform.)*
horno *m*	forno	visita *f*	visita

Saindo com os amigos

Os espanhóis são bem "flexíveis" em termos de horário. Isso é verdade para encontros e reuniões, assim como para convites. Ninguém chega exatamente no horário, mas um pouco atrasado. Quando os amigos saem para beber, é hábito que um pague a conta. Apesar de estar implícito que todos alguma vez terão de pagar, geralmente são os homens que pagam.

Em caso de refeição em grupo, a conta é dividida igualmente. É considerado mesquinharia se cada um pagar sua conta em separado ou se alguém começar a discutir porque acha que está pagando de mais ou de menos.

Assim como em português, *salud* é usado para brindar e também significa *saúde*. Porém, não é comum esperar brindar para começar a beber. Todos começam a beber assim que são servidos.

Antes de começar a comer, costuma-se dizer *¡Qué aproveche!* ou *¡Buen provecho!*.

En la consulta

LIÇÃO 29

Karen hace una cita por teléfono. Su amiga Paula trabaja en la consulta del Dr. Jiménez.

Karen: ¿Paula? Soy Karen.
Paula: Hola, bonita. Dime.
Karen: No me siento bien. Desearía pedir hora con el Dr. Jiménez. ¿A qué hora tiene consulta?
Paula: Los jueves todo el día, los viernes solo por la mañana.
Karen: ¿Podría ir hoy?
Paula: Oye, ven ahora mismo.
Karen: Gracias, hasta pronto.

Karen en la consulta del médico.
Paula: Hola, tienes mala cara. Es la primera vez que vienes, ¿verdad?
Karen: Así es. Ten mi volante del seguro.
Paula: Ponlo allí. Espero que ya estés bien para tu despedida. Rellena esta ficha y vete a la sala de espera.

Lição 29 — Diálogo

Doctor:	Buenos días, ... entre, por favor. Dígame, ¿qué le pasa?
Karen:	No me siento bien. Tengo tos y un poco de fiebre. Me duele la garganta, creo que está hinchada.
Doctor:	Siéntese, vamos a ver. ¿Desde cuándo se siente Ud. mal?
Karen:	Desde hace dos días.
Doctor:	Abra la boca, ... saque la lengua, por favor. Diga »A«.
Karen:	Aaaa ...
Doctor:	Respire profundamente y contenga la respiración. Tosa, por favor.
Karen:	¿Es algo grave?
Doctor:	No, una gripe. Coma cosas ligeras y beba mucho. Debe quedarse unos días en cama.
Karen:	¿Unos días en cama? Todo va a estar patas arriba en casa.
Doctor:	No creo que esté enferma muchos días. Voy a recetarle algunos medicamentos. Tome una pastilla por la mañana y otra por la tarde antes de las comidas. Haga también una inhalación antes de acostarse. Vaya a la farmacia con esta receta. Tenga.
Paula:	Bonita, pronto te sentirás mejor y para tu despedida ya estarás sana. Hazme el favor de alegrar esa cara. ¡Qué te mejores!

No consultório

Karen marca uma consulta por telefone. Sua amiga Paula trabalha no consultório do Dr. Jiménez.

Karen:	Paula? É a Karen.
Paula:	Oi, querida. Diga.
Karen:	Não estou me sentindo bem. Queria marcar uma hora com o Dr. Jiménez. Em que horários ele atende?
Paula:	Às quintas o dia todo, às sextas pela manhã.

Diálogo — Lição 29

Karen: Posso ir hoje?
Paula: Sim, venha agora mesmo.
Karen: Obrigada, até já.

Karen no consultório do médico.

Paula: Oi, sua cara não está boa. É a primeira vez que você vem, não é?
Karen: É. Aqui está meu comprovante do seguro.
Paula: Ponha aqui. Espero que você esteja melhor para sua despedida. Preencha esta ficha e vá para a sala de espera.
Médico: Bom dia,... entre por favor. Qual é o problema?
Karen: Não me sinto bem. Estou com tosse e um pouco de febre. Minha garganta está doendo, acho que está inchada.
Médico: Sente-se, vamos ver. Desde quando está se sentindo mal?
Karen: Há dois dias.
Médico: Abra a boca,... mostre a língua, por favor. Diga "Aah".
Karen: Aaah ...
Médico: Respire profundamente e prenda a respiração. Tussa, por favor.
Karen: É grave?
Médico: Não, é gripe. Coma coisas leves e beba muito líquido. Fique de cama por alguns dias.
Karen: Alguns dias de cama? A casa inteira vai ficar de pernas para o ar.
Médico: Não acho que vai ficar doente muitos dias. Vou receitar alguns remédios. Tome um comprimido pela manhã e outro à tarde antes das refeições. Faça também uma inalação antes de deitar. Vá à farmácia com esta receita. Aqui está.
Paula: Querida, logo se sentirá melhor e já estará bem para sua despedida. Faça o favor de alegrar essa cara. Melhoras!

Lição 29 — Gramática, exercício

Formas irregulares do imperativo

	tú	Ud.	vosotros	Uds.
decir	di	diga	decid	digan
hacer	haz	haga	haced	hagan
ir	ve	vaya	id	vayan
poner	pon	ponga	poned	pongan
salir	sal	salga	salid	salgan
ser	sé	sea	sed	sean
tener	ten	tenga	tened	tengan
venir	ven	venga	venid	vengan

No imperativo afirmativo, esses verbos têm formas próprias de 2ª **pessoa** informal (*tú*).

Exercício 1

Complete com o verbo no imperativo.

	tú	Ud.	vosotros	Uds.
1. hablar				
2. repetir				
3. empezar				
4. hacer				
5. pasar				
6. decir				

Exercício 2

Passe os verbos em itálico para o imperativo.

1. *Tener* mucho ojo al salir de la estación. (vosotros)

2. *Ser* bueno y *hacer* lo que te digan. (tú)

3. *Ir* con nosotros. (Uds.)

4. *Decir* lo que saben. (Uds.)

5. *Pasar* por la carnicería y *comprar* carne picada. (tú)

6. *Comprobar* la presión de los neumáticos. (Ud.)

Gramática, exercício — Lição 29

> **Formas alternativas do imperativo**
>
> **¿puede...?**
> ¿Puedes abrir la ventana?   Você pode abrir a janela?
>
> **¿por qué no...?**
> ¿Por qué no abres la ventana?   Por que você não abre a janela?
>
> **vamos + a + infinitivo:**
> Vamos a cenar.   Vamos jantar.
> Esta alternativa usa a 1ª pessoa do plural.
>
> **a + infinitivo:**
> ¡A comer!   Venham almoçar!

Exercício 3

Qual é o infinitivo dos verbos ao lado?

escriba

tenga

diga

rellene

trabaje

pregunte

mira

Ir – venir

> **Ir** não significa apenas **ir/dirigir-se,** mas também **vir,** da perspectiva distante de quem fala.
> **Venir** significa **vir** no sentido de quem fala:
> ¿*Vienes?* Você vem? (em direção de quem fala)
> *Sí, voy.* Sim, vou. (distante de quem fala)

Lição 29　　　　　　　　　　　　　　　　Exercício, gramática

Exercício 4

Ir, venir ou llegar?

1. ¿Cuándo ... el tren?
2. El mes que ... vamos de vacaciones.
3. Hoy no puedo ... de compras.
4. Mañana ... a visitar a unos amigos.
5. ¿... (vosotros) a nuestra fiesta el próximo sábado? Sí, ... (nosotros).
6. La Sra. García ... todos los días a la oficina.
7. ¿Ha ... (él) tarde hoy?
8. Mi madre ha ... de Alemania.
9. Mi hermano ha ... a México.
10. ¿Puedo ... ahora mismo?

Os acentos são importantes!

Em espanhol, os acentos diferenciam o sentido de uma palavra com grafia semelhante.

Pagué en euros. **Paguei** em euros.
Quiere que pague en euros. Ele quer que eu **pague** em euros.

*¿Quieres que te **dé** un consejo?* Quer que eu te **dê** um conselho?

*Madrid es la capital **de** España* Madri é a capital **da** Espanha.

*¿Eres **tú**?* É **você**?
*Es **tu** bolso.* É a **tua** bolsa.

Exercício, vocabulário — Lição 29

Exercício 5

Coloque o acento onde for necessário.

1. Está siempre *solo*.
2. Prefiero *aquel* a este.
3. A *mi* esto no me importa.
4. *Estan* hablando.
5. Son *solo* las tres de la tarde.
6. *Aquel* árbol es muy viejo.
7. *El* abrigo es para *el*.
8. No *se* que hacer.
9. ¿*Que* me recomiendas hacer?
10. ¡*Que* te vaya bien!

Exercício 6

Passe para o espanhol.

1. Estou com dor de cabeça.
2. Minha garganta dói.
3. Acho que estou com febre.
4. Não me sinto bem.
5. Estou com tosse.
6. Fique bom logo!

Vocabulário

alegrar	alegrar	**fiebre** f	febre
bonita f	(*aqui:*) querida	**garganta** f	garganta
		grave	grave
cabeza f	cabeça	**gripe** f	gripe
consulta f	consulta, consultório	**hinchado, -a**	inchado, -a
		inhalación f	inalação
contener (-g-)	conter	**lengua** f	língua
despedida f	despedida	**ligero, -a**	leve
doler (-ue-)	doer	**medicamento** m	medicamento, remédio
enfermo, -a	enfermo, doente	**médico** m	médico
farmacia f	farmácia	**mejorarse**	melhorar
ficha f	ficha		

operación f	operação	**respirar**	respirar
pastilla f	comprimido	**sacar**	(*aqui:*) mostrar, colocar para fora
pedir hora	marcar um horário		
preferir (-ie-)	preferir	**sala f de espera**	sala de espera
profundamente	profundamente	**sano, -a**	saudável
		tener tos	ter tosse
¡Qué te mejores!	Melhoras!	**todo está patas arriba**	tudo está de pernas para o ar
receta f	receita		
recetar	receitar	**tos** f	tosse
recomendar (-ie-)	recomendar	**toser**	tossir
rellenar	preencher	**volante** m	comprovante
respiración f	respiração	**del seguro**	do seguro

Ajuda médica

Antes de viajar para a Espanha, consulte seu plano de saúde para saber sobre cobertura estrangeira. Para consultas simples ou se precisar de ajuda médica na Espanha, contate um clínico geral *(médico de medicina general)* ou o pronto-socorro mais próximo *(puesto de socorro)*. Se você ou alguém de seu grupo ficar gravemente doente, entre em contato com o consulado ou embaixada brasileiros. Eles poderão colocá-lo em contato com um médico que fale português ou providenciar o transporte para trazê-lo de volta. As farmácias espanholas ficam abertas durante o horário comercial normal. O endereço da farmácia de plantão mais próxima *(farmacia de guardia)* da região fica anunciado na porta de todas as demais farmácias, durante todo o tempo.

LIÇÃO 30

La despedida

Toda la familia García y Carlos la acompañan a Karen al aeropuerto que está en las afueras de Madrid.

Carlos:	Karen, no olvides facturar el equipaje.
Karen:	No te preocupes, estamos ya delante de los mostradores de Iberia.
Empleada:	¿Cuál es su maleta?
Karen:	La que está entre la maleta negra y la gris.
Empleada:	¿Es esto todo su equipaje?
Karen:	Sí, excepto este bolso que llevaré como equipaje de mano.
Empleada:	No lo ponga en la báscula, por favor.
Karen:	¿Tengo que pagar exceso de peso?
Empleada:	Pasa los 20 kilos, pero no se preocupe. Puerta nº 9A. Al lado del control de pasaportes.

Karen:	¡Este año con vosotros ha sido fantástico!
Carmen:	El tiempo ha pasado rapidísimo.
Pedro:	Vamos a echarte de menos.
Karen:	No os pongáis tristes. Sois los mejores amigos que tengo, os agradezco lo que habéis hecho por mí.
Carlos:	Las despedidas siempre son tristes...
Karen:	(a Lucía) No olvides escribirme.
Lucía:	Descuida, te escribiré y te mandaré una foto de Nicolás que puedes colocar encima de tu escritorio.
Karen:	Ahora tengo que marcharme, están llamando para mi vuelo... No me mires tan triste, Carmen.
Carmen:	Ven para que te abrace. ¡Muchos saludos a tu madre!
Karen:	Adiós, Pedro... Adiós, Lucía... Chao, David... Adiós, Carlos.
Carlos:	Adiós, Karen. ¡Buen viaje!
Carmen:	¡No te olvides de nosotros! ¡Que te vaya bien!

Despedida

Toda a família García e Carlos acompanham Karen ao aeroporto, que fica fora da cidade de Madri.

Carlos:	Karen, não se esqueça de despachar as bagagens.
Karen:	Não se preocupe, já estamos no balcão da Iberia.
Funcionária:	Qual é a sua mala?
Karen:	A que está entre a mala preta e a cinza.
Funcionária:	Esta é toda sua bagagem?
Karen:	Sim, menos esta bolsa, que vou levar como bagagem de mão.

Diálogo, gramática — Lição 30

Funcionária:	Não coloque na balança, por favor.
Karen:	Tenho de pagar excesso de bagagem?
Funcionária:	Passa de 20 quilos, mas não se preocupe.
	Portão número 9A. Ao lado do controle de passaportes.
Karen:	Este ano com vocês foi fantástico!
Carmen:	O tempo passou muito rápido.
Pedro:	Vamos sentir saudades.
Karen:	Não fiquem tristes. Vocês são meus melhores amigos, agradeço por tudo o que fizeram por mim.
Carlos:	Despedidas são sempre tristes ...
Karen:	*(para Lucía)* Não se esqueça de me escrever.
Lucía:	Não se preocupe, vou escrever e lhe mandar uma foto do Nicolás para você colocar em cima de sua escrivaninha.
Karen:	Agora tenho de ir, estão chamando meu vôo ... Não me olhe com essa tristeza, Carmen.
Carmen:	Venha aqui para eu lhe dar um abraço. Muitas lembranças para sua mãe!
Karen:	Tchau, Pedro... Tchau, Lucía... Tchau, David... Tchau, Carlos.
Carlos:	Tchau, Karen. Tenha uma boa viagem!
Carmen:	Não se esqueça de nós! Boa viagem!

Imperativo (negativo)

		tú	Ud.	vosotros	Uds.
compr**ar**	**no**	compr**es**	compr**e**	compr**éis**	compr**en**
beb**er**	**no**	beb**as**	beb**a**	beb**áis**	beb**an**
escrib**ir**	**no**	escrib**as**	escrib**a**	escrib**áis**	escrib**an**

O imperativo negativo é formado a partir do subjuntivo.

Lição 30   Exercício, gramática

Exercício 1

Passe os verbos para a forma negativa.

1. Cerrad ....
2. Ven ....
3. Haced ....
4. Recibidle ....
5. Sube ....
6. Vayan ....
7. Diga ....
8. Oigan ....
9. Pon ....
10. Piénsalo ....

Exercício 2

Reescreva as frases a partir do exemplo.

¿Vamos de cámping?
No, no vayáis de cámping.

1. ¿Toco la guitarra? No, ...
2. ¿Jugamos al fútbol? No, ...
3. ¿Compramos zumo de naranja? No, ...
4. ¿Pongo música? No, ...
5. ¿Salimos esta noche? No, ...

Posição dos pronomes no imperativo negativo

Os pronomes são colocados **entre *no*** e a **forma verbal**.

O objeto indireto antecede o objeto direto:

¡**No se lo** compres!   Não "lho" (lhe + o) compre!

¡**No os** lavéis!   Não se lavem! (vocês)

Gramática, exercício — Lição 30

> **Pronomes relativos**
>
> *la que* ... a que ...
> *el que* ... o que ...
> *las que* ... as que ...
> *los que* ... os que ...
> *lo que* ... o que ...
>
> **El/la/los/las + que** representam **pessoas e objetos**. Essas formas são usadas principalmente **depois de preposições**:
>
> *el chico **con el que** te he visto* o garoto com quem eu te vi
>
> *la casa **de la que** ha salido* a casa da qual ele saiu
>
> **lo que** é neutro:
> *Esto es **lo que** digo.* Isso é o que digo.
>
> Se não há preposição, o *que* vem depois:
>
> *Sois los mejores amigos **que** tengo.* Vocês são os melhores amigos que tenho.
>
> *La mesa **que** está en la cocina ...* A mesa que está na cozinha ...

Que ou **lo que**?
Preencha com a forma correta.

Exercício 3

1. No quiero que hables de ... pasó el lunes.
2. Los niños comen un pastel ... está muy rico.
3. La cosa ... me contaste es muy importante.
4. Cuéntame todo ... has visto.
5. Las galletas ... he comprado están buenísimas.
6. ¿Viven aún en la casa ... está al otro lado de la calle?

Lição 30 — Gramática, exercício, vocabulário

Definindo posicionamentos

en las afueras de Madrid	**fora de** Madri
delante de nuestra casa	**em frente a** nossa casa
detrás del árbol	**atrás da** árvore
entre las maletas	**entre** as malas
en la mesa/**en** la maleta	**na** mesa/**na** mala
al lado de la mesa	**ao lado da** mesa
encima del escritorio	**em cima da** escrivaninha
sobre la mesa	**sobre** a mesa
debajo del puente	**debaixo da** ponte
a la derecha de la iglesia	**à direita** da igreja
a la izquierda de la cama	**à esquerda** da cama

Exercício 4

Quais são os antônimos?

1. poco ......
2. delante ......
3. bien ......
4. lejos ......
5. también ......
6. siempre ......
7. sucio ......
8. encima ......
9. a la derecha ......
10. pequeño ......

Vocabulário

abrazar	abraçar
agradecer alguna cosa a alguien	agradecer alguma coisa a alguém
al lado de	ao lado de
báscula *f*	balança
colocar	colocar
¿Cuál?	Qual?
debajo de	debaixo de
delante de	em frente a
descuidar	não se preocupar
despedida *f*	despedida
detrás de	atrás de
echar a alguien de menos	sentir saudade de alguém
en las afueras de	fora de

Vocabulário, país e cultura — Lição 30

encima de	em cima de	inquietarse	preocupar-se
entonces	então	marcharse	deixar, sair
equipaje *m* de mano	bagagem de mão	mostrador *m*	balcão
		mostrar	mostrar
escritorio *m*	escrivaninha	pared *f*	parede
excepto	exceto, com exceção de	pasar	passar
		ponerse triste	ficar triste
exceso *m* de peso	excesso de bagagem	preocuparse	preocupar-se
		puente *m*	ponte
facturar	(*aqui:*) fazer o check in, despachar	¡Qué te vaya bien!	Tudo de bom!
		silla *f*	cadeira
		sobre	sobre
foto *f*	foto	sofá *m*	sof
hacerse (-g-)	tornar-se	vuelo *m*	voo

Partida e despedida

Os espanhóis adoram beijar-se quando se despedem. Um beijo de cada lado é comum entre homens e mulheres e entre mulheres. Entre homens, porém, isso acontece apenas entre parentes e amigos muito próximos e apenas se a viagem for por um longo tempo.

Um simples aperto de mão será suficiente em relações mais distantes. O termo padrão para dizer tchau é **adiós,** que na verdade se tornou uma expressão quase universal na maioria das situações. Os mais cosmopolitas podem dizer **chao**.

Respostas dos exercícios

Lição 1

Exercício 1: **1.** viaja **2.** toma **3.** hablan **4.** estudia **5.** hablamos **6.** entras **7.** toman

Exercício 2: **1.** eres **2.** es **3.** es **4.** es **5.** sois **6.** son **7.** es

Exercício 3: **1.** no viaja **2.** no toma **3.** no hablan **4.** no estudia **5.** no hablamos **6.** no entras **7.** no toman

Exercício 4: Es de Barcelona. Es español. Soy de Inglaterra. ¿Viaja Ud. como turista? ¿Viaja Ud. a España? ¿Toma Ud. leche y azúcar? No, smlo leche, gracias. Soy Paco. Soy profesor y estudio español. ¡Qué interesante!

Lição 2

Exercício 1: **1.** está **2.** están **3.** estáis **4.** están **5.** está **6.** está

Exercício 2: **1.** tomo el café **2.** el avión es **3.** el pasajero es **4.** el bolso es **5.** las maletas pesan **6.** ¿Es Ud. -? **7.** es un país **8.** la señorita saluda

Exercício 3: los pasaportes; unas azafatas; los equipajes; unos pasajeros; las maletas; unas tarjetas; las aduanas; unos bolsos; los diccionarios; unos libros

Exercício 4: **1.** sucias **2.** grandes **3.** simpáticos **4.** interesante **5.** blanca **6.** amable

Exercício 5: una maleta pesada; un café dulce; un pasajero simpático; unos aviones grandes; un aduanero rubio.

Lição 3

Exercício 1: **1.** voy **2.** vamos **3.** va **4.** van **5.** vamos

Exercício 2: es; es ; es; es; está; es; es; están; son

Exercício 3: **1.** son, somos **2.** eres, soy **3.** está, está

Exercício 4: mucha gente; la lengua francesa; los turistas franceses; tanto ruido; hoteles buenos; la última semana; pocas azafatas; tres pasajeros

Exercício 5: en autobús; a Granada; en tren; en barco; en avión; a Madrid

Exercício 6: Karen coge el equipaje y va al centro. Son 25 euros. Karen paga. En el Paseo de la Castellana nº 6 baja. Hay mucha gente en el centro. Aquí está la dirección. ¿Dónde está la casa?

Lição 4

Exercício 1: **1.** habláis, habla, hablas, hablan   **2.** escribís, escribe, escribes, escriben   **3.** sois, es, eres, son   **4.** bailáis, baila, bailas, bailan   **5.** abrís, abre, abres, abren

Exercício 2: **1.** se habla   **2.** se baila   **3.** se abre   **4.** se toma

Exercício 3: **1.** tu   **2.** nuestros   **3.** mi   **4.** su   **5.** vuestros   **6.** vuestra, nuestro   **7.** sus   **8.** nuestros

Exercício 4: **1.** más ... que   **2.** más ... que   **3.** más ... que   **4.** las mejores   **5.** el ... más

Exercício 5: catorce, veintinueve, quince, nueve, uno, cuatro, veinticinco, veintiuno, diecinueve, treinta

Exercício 6: **1.** hija   **2.** marido   **3.** nieta   **4.** hijos   **5.** suegra   **6.** cuñada

Lição 5

Exercício 1: **1.** es   **2.** hay   **3.** hay   **4.** está   **5.** está   **6.** tiene   **7.** están   **8.** es   **9.** tiene   **10.** está   **11.** está   **12.** hay

Exercício 2: **1.** hay   **2.** está   **3.** hay   **4.** está   **5.** hay   **6.** está   **7.** está   **8.** hay   **9.** está   **10.** hay

Exercício 3: **1.** una   **2.** al   **3.** los   **4.** al, al   **5.** el, un   **6.** el del   **7.** unas   **8.** unos, del

Exercício 4: Estão erradas: **1.a, 2.b, 3.a, 4.b, 5.a, 6.b**

Exercício 5: **1.** no   **2.** sí   **3.** no   **4.** sí   **5.** no   **6.** sí   **7.** no

Exercício 6: **1.** toman   **2.** coméis   **3.** bebes   **4.** vivimos   **5.** tengo   **6.** pasa   **7.** abre   **8.** habla

Lição 6

Exercício 1: **1.** no   **2.** sí   **3.** no   **4.** no   **5.** no   **6.** no   **7.** sí   **8.** no   **9.** sí   **10.** sí

Exercício 2: **1.** te ... me   **2.** se   **3.** nos   **4.** se   **5.** os   **6.** te   **7.** se

Exercício 3: **1.** todo el   **2.** todas las   **3.** todas las   **4.** todos los   **5.** todas las   **6.** toda la   **7.** todos los   **8.** todo el

Exercício 4: **a)** la una y media   **b)** las cinco y cuarto de la tarde   **c)** las cinco menos cuarto   **d)** las siete en punto   **e)** la una   **f)** las doce menos cinco   **g)** las diez y cinco   **h)** la una menos veinticinco   **i)** las tres y veinte de la tarde   **j)** las diez de la noche

Exercício 5: **1.** puedo   **2.** estoy   **3.** voy   **4.** suelo   **5.** tengo   **6.** me quedo   **7.** vengo   **8.** soy   **9.** como   **10.** arreglo

Exercício 6: ¿Puede ir a la agencia de viajes, por favor? – Sí, ¿dónde está? – Tiene que ir hasta la esquina, cruza la calle y toma el paseo a la derecha. Y está allí enfrente. – Muy bien.

Lição 7

Exercício 1: **1.** sabe **2.** sé **3.** sabéis **4.** saben **5.** sabe **6.** sabes **7.** saber **8.** sabemos

Exercício 2: **1.**a) **2.**a) **3.**c) **4.**a) **5.**c)

Exercício 3: **1.** el **2.** el **3.** la **4.** los **5.** la **6.** la **7.** el **8.** el **9.** el **10.** el

Exercício 4: **1.** como, coméis, comes, comemos; **2.** estoy, estáis, estás, estamos; **3.** hago, hacéis, haces, hacemos; **4.** voy, vais, vas, vamos; **5.** soy, sois, eres, somos; **6.** sé, sabéis, sabes, sabemos; **7.** vengo, venís, vienes, venimos; **8.** tengo, tenéis, tienes, tenemos; **9.** preparo, preparáis, preparas, preparamos; **10.** abro, abrís, abres, abrimos

Exercício 5: hago, voy, alquilo, disfruto, me pongo, tengo, viene, bailan, cantan, son

Exercício 6: Buenos días, señora Gómez. Vengo de Valencia. Estoy un poco cansado. Mis maletas son pesadas. ¿Está su marido en casa? Muchas gracias por el café. ¿Qué, Ud. sabe cocinar paella? ¿A qué hora cenamos? ¿A las 10 de la noche? Voy un poco de paseo.

Lição 8

Exercício 1: **1.** queremos, quiere, quieres, quieren **2.** almorzamos, almuerza, almuerzas, almuerzan **3.** sentimos, siente, sientes, sienten **4.** compramos, compra, compras, compran **5.** empezamos, empieza, empiezas, empiezan **6.** solemos, suele, sueles, suelen

Exercício 2: **1.** 2.sg. **2.** 3.pl. **3.** 3.sg. **4.** 1.sg. **5.** 1.pl. **6.** 3.sg. **7.** 2.pl. **8.** 2.sg. **9.** 3.sg. **10.** 3.pl.

Exercício 3: **1.** Yo la abro. **2.** Yo lo hago. **3.** Yo las como. **4.** Yo los escribo. **5.** Yo os quiero. **6.** Yo la compro. **7.** Yo la pongo. **8.** Yo los tomo.

Exercício 4: **1.** lo **2.** la **3.** le **4.** (saludar)la **5.** preguntar(les) **6.** lo **7.** las **8.** (poner)le **9.** las **10.** le

Exercício 5: **1.** b **2.** c **3.** a. **4.** b.

Exercício 6: Medio kilo de tomates, por favor, dos litros de leche, una barra de pan, un cuarto de kilo de zanahorias, media docena de huevos, otra botella de leche y dos tarros de mermelada.

Lição 9

Exercício 1: **1.** No voy a hacerlo ahora. **2.** Vas a tocar la guitarra. **3.** Van a ir en coche a Madrid. **4.** No lo vamos a escribir. **5.** Vas a ir a la calle. **6.** Vas a tener que llamarle. **7.** Pilar no va a estudiar español. **8.** No voy a encontrar el libro. **9.** Vais a empezar temprano.

Exercício 2: **1.** Para ir a Toledo. **2.** Para comprar un billete. **3.** Para ir al centro. **4.** Para mañana. **5.** Para Nicolás. **6.** Para poder hablar español. **7.** Para ir de paseo.

Exercício 3: **1.** Dos mil trescientos cincuenta y tres. (2.353) **2.** Diez mil doscientos siete. (10.207) **3.** Ochocientos ocho. (808) **4.** Mil quince. (1.015) **5.** Treinta mil quinientos setenta y cinco. (30.575)

Exercício 4: **1.** Alfonso trece, rey de España **2.** Siempre llego el primero **3.** Hoy es el tercer día de la semana **4.** Quiero medio litro de leche **5.** Juan Carlos primero de Borbón **6.** Subimos a la décima planta **7.** Compro un cuarto de kilo de tomates **8.** Estamos en el séptimo mes del año

Exercício 5: **1.** de **2.** para/de **3.** en **4.** para **5.** a **6.** al **7.** a **8.** de **9.** en **10.** en

Lição 10

Exercício 1: **1.** parecen **2.** puede **3.** conozco **4.** parece **5.** quieres **6.** trabajar **7.** conoces

Exercício 2: **1.** a mí **2.** a nosotros **3.** a ellos/ellas/Uds. **4.** a vosotros **5.** a ellas **6.** a ellos/ellas/Uds. **7.** a tí

Exercício 3: **1.** usted **2.** mí **3.** nosotros **4.** ellas **5.** ti **6.** ustedes

Exercício 4: **1.** Quisiera un trozo de queso, por favor. Quisiera visitar la parte antigua de la ciudad. Quisiera probarlo. ¿Puedo ir? Quisiera estudiar español. Puedo hablar español.

Exercício 5: **1.** por **2.** para **3.** por **4.** para **5.** para **6.** para **7.** por... para

Exercício 6: Inma es enfermera y Paco estudia informática. Los dos son buenos amigos. Se conocen bien. Se encuentran a menudo para ir al cine o al teatro. Inma trabaja cerca de la calle donde vive Paco. Por las tardes suelen ir de paseo. Estudian inglés porque quieren ir a Estados Unidos.

Lição 11

Exercício 1: **1.** c) **2.** a) **3.** b) **4.** b) **5.** a) **6.** b)

Exercício 2: **1.** a **2.** – **3.** – **4.** a **5.** a **6.** – **7.** – **8.** a **9.** a

Exercício 3: A nosotros los españoles nos gusta la vida. Nos gustan las fiestas y nos gusta el jerez. Nosotros los españoles somos así. ¿Conoce Ud. a los españoles?

Exercício 4: **1.** conozco **2.** hacéis **3.** vamos **4.** pongo **5.** parece **6.** salgo **7.** están **8.** tienen **9.** doy **10.** sé

Exercício 5: **1.** ¿Puede esperar un poco? Sí, un momento.
2. ¿De parte de quién? De Carlos Martini. **3.** ¿Quién habla? Soy yo.
4. Hola, ¿cómo estás? Muy bien, gracias. **5.** ¿A qué hora? A las 7.00 en punto. **6.** ¿Te parece bien? Sí, está bien. **7.** ¿Quieres salir conmigo? Sí, con gusto. **8.** ¿Conoces el Café Triana? Sí, lo conozco.

Exercício 6: das, damos, dan; sales, salimos, salen; vas, vamos, van; pareces, parecemos, parecen; conoces, conocemos, conocen; duermes, dormimos, duermen; quieres, queremos, quieren; eres, somos, son;

Lição 12

Exercício 1: comido, querido, hablado, caminado, venido, trabajado, dormido, levantado, conocido, visitado

Exercício 2: **1.** aburrido **2.** afeitado **3.** arregladas **4.** prohibido **5.** impresionada **6.** cantadas

Exercício 3: **1.** has hablado **2.** no he tenido **3.** has estado **4.** has comprado **5.** habéis arreglado **6.** hemos desayunado

Exercício 4: En abril voy a estudiar español e inglés. Para ello voy a ir primero a España y luego a Inglaterra. He estudiado ya una vez estas lenguas y también el francés pero quiero mejorarlas. España e Inglaterra son países interesantes e importantes.

Exercício 5: **1.** ¡Qué sed tengo! **2.** ¡Qué rico es! **3.** ¡Qué guapa es esta chica! **4.** ¡Qué enferma está esta mujer! **5.** ¡Qué impresionante es esta iglesia! **6.** ¡Qué interesante es esta película! **7.** ¡Qué caro está el jamón hoy! **8.** ¡Qué hambre tengo!

Exercício 6: **1.** tiene **2.** hay **3.** has **4.** habéis **5.** tiene **6.** han **7.** hay **8.** tengo

Lição 13

Exercício 1: **1.** no **2.** no **3.** sí **4.** no **5.** sí **6.** no **7.** no **8.** sí

Exercício 2: **1.** veo, veis, ves, vemos; **2.** pido, pedís, pides, pedimos; **3.** salgo, salís, sales, salimos; **4.** sirvo, servís, sirves, servimos

Exercício 3: **1.** algo **2.** ningún **3.** nada **4.** algunos **5.** algún **6.** ninguna **7.** alguien

Exercício 4: **1.** No. **2.** – **3.** – **4.** No. **5.** No. **6.** No.

Exercício 5: **1.** bueno **2.** bien **3.** mala **4.** mal

Lição 14

Exercício 1: sido, visto, puesto, vuelto, ido, dado, hecho, escrito

Exercício 2: **1.** inmediatamente **2.** difícilmente **3.** generalmente **4.** rápidamente **5.** normalmente **6.** absolutamente

Exercício 3: **1.** Sí, exactamente. **2.** directamente. **3.** difícilmente. **4.** amablemente. **5.** tranquilamente. **6.** generalmente. **7.** automáticamente. **8.** cómodamente.

Exercício 4:

Fito es un perrito. Normalmente es un animalito pacífico. Tiene las patitas húmedas. Karen generalmente no tiene miedo a los perros. Fito saluda alegremente a la gente.

Exercício 5: **1.** trabajar **2.** levantado **3.** practicar **4.** comprar **5.** vuelto

Exercício 6: **1.** alegre **2.** pequeño **3.** poco **4.** bueno **5.** difícil **6.** caliente **7.** nuevos **8.** abierta

Lição 15

Exercício 1: **1.** comiendo **2.** tomando **3.** cantando **4.** esperando **5.** haciendo

Exercício 2: **1.** siguen viviendo **2.** sigo esperando **3.** siguen vendiendo **4.** sigue durmiendo. **5.** seguimos acostándonos

Exercício 3: **1.** Entra en el bar pidiendo cerveza. **2.** Marca los números repitiéndolos. **3.** Vuelve a buscar el bolso no pudiendo encontrarlo. **4.** Sale de la escuela corriendo. **5.** Saluda haciendo una señal con la mano.

Exercício 4: **1.** Estoy esperando **2.** Estoy bailando **3.** Estoy preguntando **4.** Estoy yendo **5.** Estoy llegando

Exercício 5: **1.** charlar **2.** llegado **3.** esperando **4.** repitiendo **5.** llamar

Lição 16

Exercício 1: **1.** Iríamos de compras. **2.** Acompañaríamos a los abuelos. **3.** Comeríamos un helado. **4.** Trabajaríamos poco. **5.** Saldríamos al parque. **6.** Subiríamos al tercer piso. **7.** Nos ducharíamos.

Exercício 2: **1.** podría **2.** dirías **3.** querríais **4.** jugarían **5.** irías **6.** vendría **7.** viviría

Exercício 3: **1.** lo **2.** la **3.** lo **4.** la **5.** le, ella **6.** te **7.** las

Exercício 4: **1.** se los **2.** se lo **3.** se lo **4.** se las **5.** se los **6.** se las

Exercício 5: ¿Qué desea? Un vestido./ ¿Qué color desea? Algo en rojo./ ¿De qué material? No sé, de algodón o seda./ ¿Para quién es? Para mí./ ¿Qué talla tiene? La 38./ ¿Le gusta? Sí, me gusta mucho./ ¿Cómo le queda? Me resulta un poco estrecho./ ¿Se lo lleva? Sí, me lo llevo.

Exercício 6: Esta chica no está nunca en casa. Siempre está de viaje. Esta semana la he encontrado en Valencia y ahora está de nuevo en Madrid. Vive en esta calle grande que está al lado de esta iglesia famosa. No sé el nombre de esta iglesia que está en el centro.

Lição 17

Exercício 1: **1.** compré compraste comprarías compraríais
2. leí leíste leerías leeríais   **3.** canté cantaste cantarías cantaríais
4. abrí abriste abrirías abriríais   **5.** viví viviste vivirías viviríais
6. perdí perdiste perderías perderíais

Exercício 2: **1.** visité   **2.** llamé   **3.** abrió   **4.** dejó, ofreció
5. tomamos   **6.** gustó   **7.** salí   **8.** ví   **9.** tomé, volví

Exercício 3: **1.** de la   **2.** del   **3.** de la   **4.** de, de   **5.** del

Exercício 4: **1.** Al salir de casa me quedé sin llaves.   **2.** Al ver esta película, nos reímos de carcajadas.   **3.** Al leer el periódico me volví triste.

Exercício 5: **1.** Sin conocerlas no las voy a acompañar.   **2.** Sin ser muy listo sabe mucho.   **3.** Sin tener mucho dinero viajo mucho.
4. Sin ver la chica no abro la puerta.

Lição 18

Exercício 1: Ayer hice un viaje en tren. Me levanté muy temprano, me duché y me vestí. Luego tomé una tostada con café. Después cogí mi bocadillo para el almuerzo y lo metí en la mochila. Entonces salí de casa. Mi madre me llevó a la estación del autobús y allí esperé media hora en vano. Entonces hice autostop. Tuve que esperar otros diez minutos y llegué a la estación justamente un minuto antes de salir el tren. Lo cogí y así ¡todo salió a pedir de boca!

Exercício 2: **1.** No quiero ni salir.   **2.** No tengo tiempo ni para dar un paseo.   **3.** No puedo ni hablar.

Exercício 3: Nos encontramos ayer entre las siete u ocho de la tarde en un café. Tomamos un helado, uno o dos zumos y unas tapas. Nos sirvió un chico u hombre andaluz entre 18 o veinte años. A esto de las diez u once regresamos a casa.

Exercício 4: **1.** hemos trabajado, estamos   **2.** voy   **3.** estuvimos
4. hicisteis   **5.** has comprado   **6.** queremos

Exercício 5: **1.** No he entrado ni en la iglesia ni en la catedral.
2. No he visitado ni a los abuelos ni a los tíos.   **3.** No he comido ni huevos ni patatas.   **4.** No he comprado ni zumo ni galletas.
5. No he leído ni el libro ni el periódico.   **6.** No he ido ni de viaje ni de paseo.   **7.** No he visto ni como anda ni como baila.
8. No he oído ni los perros ni los ladrones.

Lição 19

Exercício 1: El año pasado mis padres y yo hicimos un viaje a Madrid. Ellos no supieron nunca por qué no nos fuimos a Barcelona. Fue porque yo estuve antes en Madrid y esta ciudad me gustó mucho. Allí conocí la amabilidad de muchos. También mis padres se sintieron de maravilla cuando llegaron allí y me lo dijeron muchas veces.

Exercício 2: **1.** durmió **2.** supieron **3.** hicieron **4.** sintieron **5.** quisimos, pudimos **6.** fui **7.** siguió

Exercício 3: **1.** fuiste, fuimos, fueron **2.** sentiste, sentimos, sintieron **3.** te duchaste, nos duchamos, se ducharon **4.** te afeitaste, nos afeitamos, se afeitaron **5.** pusiste, pusimos, pusieron **6.** dijiste, dijimos, dijeron

Exercício 4: Debe de haber un restaurante por aquí. El año pasado estuve aquí con unos amigos. El restaurante debe de estar abierto.

Exercício 5: **1.** buen tiempo **2.** gran alegría **3.** mal amigo **4.** cien kilómetros **5.** primer mes **6.** ningún hombre **7.** algún hotel **8.** mala noticia

Exercício 6: sentirse de maravilla; dormir como un tronco; hay que tener mucho ojo; reirse de carcajadas; quedarse con la boca abierta; descansar a pierna suelta; salir a pedir de boca; estar hecho polvo

Lição 20

Exercício 1: **1.** ponías, poníais, poníamos **2.** saludabas, saludabais, saludábamos **3.** te adelantabas, os adelantabais, nos adelantábamos **4.** veías, veíais, veíamos **5.** sabías, sabíais, sabíamos **6.** ibas, ibais, íbamos **7.** estabas, estabais, estábamos **8.** eras, erais, éramos

Exercício 2: **1.** iba **2.** daba **3.** mirábamos **4.** eras, tocabas **5.** no solíais

Exercício 3: **1.** No puedo acompañarte hoy. ¡Qué pena! **2.** Se sentó a nuestra mesa sin preguntar. ¡Qué cara! **3.** No nos pasó nada en el accidente. ¡Gracias a Dios! **4.** Los tomates están en oferta. ¿De verdad? **5.** He olvidado el bolso en el metro. Lo siento. **6.** Ha habido un fuerte huracán en Florida. ¡Qué horror!

Exercício 4: **1.** ¿Qué es de tu tesis? **2.** ¿Qué es de tus padres? **3.** ¿Qué es de tu coche? **4.** ¿Qué es de sus vacaciones?

Lição 21

Exercício 1: **1.** comíamos, tomamos **2.** cenaban, miraban **3.** cocinaba, arreglaba **4.** fumaba **5.** llegué, estaba **6.** llegó, esperaba **7.** se iban, se fueron **8.** hacía, hizo

Exercício 2: **1.** la **2.** les/los **3.** los **4.** le/lo **5.** lo

Exercício 3: **1.** Este coche lo compró hace dos años. **2.** ¡Qué hambre tenemos! **3.** Le preguntaremos a María si nos hace una Paella. **4.** Este libro lo debes comprar de todos modos.

Exercício 4: A mí me gusta jugar al fútbol, pero a Juanita le gusta el alpinismo. A mí me gustan los churros, pero a mi madre le gustan más los pasteles. A mí me gusta la música clásica, pero a mi hermano le gusta el folklore.

Exercício 5: No me gusta mucho trabajar en esa oficina, porque pasan muchos coches y mucha gente por allí, el aire está muy sucio. Además tengo que escribir mucho. Antes me gustaba mucho, había muchos árboles y el aire estaba muy limpio, todos estábamos muy contentos, nos quedábamos más tiempo en la oficina.

Lição 22

Exercício 1: **1.** ocuparán, ocuparéis, podré; **2.** comerán, comeréis, comeré; **3.** vivirán, viviréis, viviré; **4.** harán, haréis, haré; **5.** venderán, venderéis, venderé;

Exercício 2: **1.** No pondrán música. **2.** No sabrá la lección. **3.** Estaré feliz. **4.** Hará frío. **5.** Volveremos pronto. **6.** José estudiará español. **7.** No querré ir al café.

Exercício 3: El próximo domingo tendré una fiesta. Me pondré mi traje más bonito e invitaré a mucha gente. Tocaré la guitarra. Bailaremos y cantaremos hasta las cinco de la madrugada. Será muy divertido. Todos estaremos felices y diremos que es la mejor fiesta de todo el año.

Exercício 4: **1.** En España uno se suele acostar tarde. **2.** Uno se divierte mucho jugando al fútbol. **3.** Los sábados uno no se aburre nunca. **4.** Uno se alegra mucho de su suerte. **5.** Cuando hace frío uno se pone el abrigo. **6.** Uno se presenta al profesor. **7.** Uno no se queda nunca en casa.

Exercício 5: **1.** camarero **2.** profesor **3.** pintor **4.** secretaria **5.** azafata **6.** enfermera

Exercício 6: **1.** no **2.** sí **3.** sí **4.** sí **5.** no **6.** no **7.** no **8.** sí

Exercício 7: **1.** Buscar un nuevo trabajo. **2.** Comprar el periódico todos los días. **3.** Leer los anuncios de trabajo. **4.** Escribir cartas y solicitar un puesto de trabajo. **5.** Presentarse y tener una entrevista. **6.** Empezar a trabajar.

Lição 23

Exercício 1: No habrá venido. No estará. Se habrá ido. Habrá ido. Se quedará. Me llamará. Me comprará.

Exercício 2: **1.** Le darán el coche. **2.** Habrán terminado ya. **3.** Irán a tu fiesta. **4.** Sabrá inglés. **5.** Hará buen tiempo. **6.** Estará de acuerdo. **7.** Habrá escrito la carta. **8.** Llegará mañana.

Exercício 3: **1. a)** de lo que **2. b)** que **3. a)** que **4. c)** de las que **5. b)** de la que **6. a)** de la que

Exercício 4: **1.** del que **2.** de los que **3.** de los que **4.** de los que **5.** de lo que **6.** de lo que **7.** del que **8.** del que **9.** que **10.** que

Exercício 5: **1. b) 2. c) 3. c) 4. a) 5. b)**

Exercício 6: **1. b)** Muchísimas gracias. **2. b)** Esto es más fácil de lo que se cree. **3. a)** Con mucho gusto. **4. b)** Le gusta más que cuidar a los niños. **5. a)** El reloj parece antiquísimo. **6. b)** ¿A cuánto estarán?

Lição 24

Exercício 1: **1.** El profesor fue buscado por la escuela de lenguas. **2.** Toda la región ha sido destruida por el huracán. **3.** El partido va a ser ganado por el Real Madrid. **4.** El robo ha sido denunciado por la chica.

Exercício 2: **1.** Mi hermano ganó el premio. **2.** Yo he escrito las cartas. **3.** Un ladrón robó el coche.

Exercício 3: **1.** Pasado mañana se terminará/terminarán el trabajo. **2.** Nunca se sabrá/sabrán la verdad. **3.** Algún día se encontrará/encontrarán el bolso.

Exercício 4: **1. c)** hay que **2. b)** debe de **3. b)** hay que **4. a)** tienes que

Exercício 5: **1.** hace **2.** desde hace **3.** desde **4.** desde hace **5.** desde hace

Exercício 6: Buenos días. Querría hablar con Carlos. Quería preguntarle si ha comprado entradas. Querría ver un partido de fútbol alguna vez.

Lição 25

Exercício 1: **1.** conduce, conduzca; **2.** tiene, tenga; **3.** lee, lea; **4.** escribe, escriba; **5.** sube, suba; **6.** aprende, aprenda; **7.** viene, venga

Exercício 2: Quiero que: **1.** salgamos toda una noche. **2.** visitemos un bar. **3.** saques una entrada para el teatro. **4.** mires una película.

Exercício 3: **1.** salgan **2.** salen **3.** visitéis **4.** visitáis **5.** tomen **6.** toman **7.** ayudes

Exercício 4: ¿Me permite que: **1.** abra la puerta? **2.** fume un cigarrillo? **3.** salga con su hija? **4.** haga una pregunta? **5.** visite a su familia? **6.** entre en su casa?

Lição 26

Exercício 1: **1.** Dudo que estéis contentos. **2.** Javier no cree que tenga suerte. **3.** No creo que sepas cantar. **4.** No creo que vayan a Granada este año.

Exercício 2: **1.** ¡Ojalá tengáis tiempo! **2.** ¡Ojalá lleven abrigos! **3.** ¡Ojalá haga sol! **4.** ¡Ojalá hables español!

Exercício 3: **1.** Es imposible que os acompañemos. **2.** Es mejor que se quede en la cama. **3.** Es preciso que salgamos. **4.** Es probable que llegue hoy.

Exercício 4: **1.** ¿Cuándo vas a venir a visitarnos? Cuando tenga tiempo. **2.** ¿Cuándo va a invitar Karen a sus amigos? Cuando haga cumpleaños. **3.** ¿Cuándo van a ir tus padres de vacaciones? Cuando quieran. **4.** ¿Cuándo va a terminar Pedro el cuadro? Cuando lo necesite.

Exercício 5: **1.** es, está **2.** está **3.** está **4.** es, está **5.** es **6.** está

Exercício 6: **1.** haya **2.** vuelve **3.** tienes **4.** hablan **5.** descanséis **6.** no te enfades

Lição 27

Exercício 1: oiga, vaya, haya, venga, esté, empiece, diga, sienta, sea, dé, duerma, baile, quiera, salga, viva

Exercício 2: **1.** quieras **2.** vayamos **3.** llegue **4.** vayamos **5.** estaba **6.** digas **7.** vea

Exercício 3: **1.** Acabo de ponerla. **2.** Acabo de encontrarla. **3.** Acabo de comprarlo. **4.** Acabo de verla. **5.** Acabo de solicitarlo. **6.** Acabo de reservarla.

Exercício 4: **1. a)** habla **2. b)** sepa **3. a)** prestas **4. b)** guste **5. b)** están **6. b)** visiten

Exercício 5: **1.** cara **2.** primer **3.** cerrada **4.** mucha **5.** aburrido **6.** temprano **7.** nueva **8.** pequeño

Exercício 6: **1.** cuánto **2.** cuántos **3.** cuánta **4.** cuántos **5.** cuántas **6.** cuánto

Lição 28

Exercício 1: **1.** conduce, conducid **2.** recibe, recibid **3.** vuelve, volved; **4.** juega, jugad **5.** vende, vended

Exercício 2: **1.** Sí, fuma. **2.** Sí, ábrala. **3.** Sí, cantad y bailad. **4.** Sí, ciérrala. **5.** Sí, hablen español. **6.** Sí, cómpralo. **7.** Sí, conduzca. **8.** Sí, acompañadla.

Exercício 3: **1.** Mírela. **2.** Preparadla. **3.** Escríbela. **4.** Arréglala. **5.** Cómprelo. **6.** Sáquenlas.

Exercício 4: **1.** mías **2.** suyo **3.** vuestro **4.** nuestra **5.** tuyos **6.** suya **7.** mía

Exercício 5: **1.** tanto **2.** tan **3.** tanta **4.** tanto **5.** tan

Exercício 6: **1.** a **2.** b **3.** b **4.** a

Lição 29

Exercício 1: **1.** habla, hable, hablad, hablen **2.** repite, repita, repetid, repitan **3.** empieza, empiece, empezad, empiecen **4.** haz, haga, haced, hagan **5.** pasa, pase, pasad, pasen **6.** di, diga, decid, digan

Exercício 2: **1.** tened **2.** sé, haz **3.** vayan **4.** digan **5.** pasa compra **6.** compruebe

Exercício 3: escribir, tener, decir, rellenar, trabajar, preguntar, mirar

Exercício 4: **1.** llega **2.** viene **3.** ir **4.** voy **5.** venís, vamos **6.** va **7.** llegado **8.** llegado **9.** ido **10.** ir

Exercício 5: **1.** solo **2.** aquél, éste **3.** mí, esto **4.** están **5.** sñío **6.** aquel **7.** el, él **8.** sé **9.** qué **10.** qué

Exercício 6: **1.** Tengo dolores de cabeza. **2.** Me duele la garganta. **3.** Creo que tengo fiebre. **4.** No me siento bien. **5.** Tengo tos. **6.** ¡Qué te mejores!

Lição 30

Exercício 1: **1.** no cerréis **2.** no vengas **3.** no hagáis **4.** no le recibáis **5.** no subas **6.** no vayan **7.** no diga **8.** no oigan **9.** no pongas **10.** no lo pienses

Exercício 2: **1.** No, no toques la guitarra. **2.** No, no juguéis al fútbol. **3.** No, no compréis zumo de naranja. **4.** No, no pongas música. **5.** No, no salgáis esta noche.

Exercício 3: **1.** lo que **2.** que **3.** que **4.** lo que **5.** que **6.** que

Exercício 4: **1.** mucho **2.** detrás **3.** mal **4.** cerca **5.** tampoco **6.** nunca **7.** limpio **8.** debajo **9.** a la izquierda **10.** grande

Teste 1 – 3

Teste 1:   ¡MUY BIEN HECHO! (Muito bem!)

Teste 2:   ¡TODAVIA MEJOR! (Melhor ainda!)

Teste 3:   ¡UNA MARAVILLA! (Maravilhoso!)

Vocabulário

Aqui está a lista de vocabulário encontrado em todo o livro.

A

abanico *m*	leque
abierto	aberto
abonado *m*	assinante (telefone)
abrazar	abraçar
abrigo *m*	casaco
abril *m*	abril
abrir	abrir
absolutamente	absolutamente
abuela *f*	avó
abuelo *m*	avô
abuelos *m pl*	avós
aburrirse	aborrecer-se
acabar	acabar, terminar
accidente *m*	acidente
aceite *m*	azeite, óleo
aceite *m* de oliva	azeite de oliva
aceitunas *f pl*	azeitonas
acento *m*	sotaque
aceptar	aceitar, concordar
acompañar	acompanhar
acordarse	lembrar-se
acordeón *m*	acordeão
acostarse	deitar-se
acostumbrado, -a	acostumado, -a
acostumbrarse a alguna cosa	acostumar-se a alguma coisa
adelantarse	ultrapassar, (*aqui:*) fechar
adelgazar	emagrecer
además	além disso
adiós	adeus, tchau
aduana *f*	alfândega
aduanero *m*	oficial aduaneiro
aeropuerto *m*	aeroporto
afeitar(se)	barbear-se
a fuego lento	em fogo baixo
agencia *f* de viajes	agência de viagens
agosto *m*	agosto
agradecer alguna cosa a alguien	agradecer a alguém por alguma coisa
agua (el) *f*	água
agua (el) *f* potable	água potável
ahora	agora
ahora mismo	agora mesmo
aire *m*	ar
ajo *m*	alho
al ajillo	grelhado com alho
a la derecha	à direita
al lado de	ao lado de
a la izquierda	à esquerda
alegrar	alegrar
alegrarse	alegrar-se
alegre	alegre, feliz, (*aqui:*) entusiasmado
alegría *f*	alegria
al fondo	no fundo
algo	algo
algo es un rollo	algo é chato
algodón *m*	algodão
alguien	alguém
alguno, -a	algum, -a
allí	ali
almuerzo *m*	almoço
alojarse	hospedar-se
Alpes *m pl*	os Alpes
alpinismo *m*	alpinismo
alquilar	alugar
alrededor de	por volta de
alto, -a	alto, -a
alumno *m*	aluno
ama (el) *f* de casa	dona de casa
amabilidad *f*	amabilidade
amable	amável
amarillo, -a	amarelo, -a
ambos, -as	ambos, -as
a menudo	com frequência
América	América
americano, -a	americano, -a
amiga *f*	amiga
amigo *m*	amigo
amueblado, -a	mobiliado, -a
Andalucía *f*	Andaluzia
andar	andar, ir
andén *m*	plataforma
ángel *m*	anjo
año *m*	ano
anoche	ontem à noite
anorak *m*	anoraque (casaco impermeável)
a no ser que	a menos que
anotar	anotar, tomar nota
anteayer	anteontem
antes	antes
antiguo, -a	antigo, -a

Vocabulário

anual	anual
a nuestro lado	ao nosso lado
anuncio *m* **de trabajo**	anúncio de emprego
apagar	apagar, desligar
a partir de	a partir de
a pedir de boca	exatamente o que se queria, vir a calhar
apellido *m*	sobrenome
apetecer (-zc-)	apetecer
a pierna suelta	sem preocupação, à vontade
aprender	aprender
a propósito	a propósito, por falar niso
aproximadamente	aproximadamente
aquello	aquilo
aquí	aqui
árbol *m*	árvore
armario *m*	armário
arquitecto *m*	arquiteto
arreglado, -a	consertado, -a
arreglar	consertar
arreglarse	dar um jeito
arreglo *m*	conserto
arriba	acima
arroz *m*	arroz
artefacto *m*	artefato, ferramenta
ascensor *m*	elevador
aseo *m*	banheiro
así como	assim como
asiento *m*	assento
aspecto *m*	aspecto
atención *f*	atenção
atender a alguien	tomar conta de alguém
a tiempo	a tempo
atraer	atrair
auricular *m*	fone (do telefone)
autobús *m*	ônibus
autocaravana *f*	trailer
automáticamente	automaticamente
autopista *f*	rodovia
a veces	às vezes
a ver	veremos
averiado, -a	quebrado, -a
avión *m*	avião
avisar a alguien	avisar alguém
ayuda *f*	ajuda
azafata *f*	comissária de bordo
azafrán *m*	açafrão
azúcar *m*	açúcar
azul	azul

B

bailar	dançar
bajar	descer, baixar
bañarse	banhar-se, tomar banho
banco *m*	banco
baño *m*	banheiro
bar *m*	bar
barato, -a	barato, -a
barco *m*	barco
barril *m*	barril
barrio *m*	bairro
báscula *f*	balança
bastante	bastante
batido *m*	vitamina
baúl *m*	baú
beber	beber
bebida *f*	bebida
bicicleta *f*	bicicleta
bien	bem
bienvenido, -a	bem-vindo
billete *m*	bilhete, ingresso
billete *m* **de tren**	passagem de trem
bistec *m*	filé
blanco, -a	branco, -a
blusa *f*	blusa
boca *f*	boca
bocadillo *m*	sanduíche
bolsa *f*	sacola de compras
bolso *m*	bolsa
bonito, -a	bonito, -a
botella *f*	garrafa
bravo	bravo
bueno, -a	bom, boa
buenas noches	boa noite
buenas tardes	boa tarde (até 20h)
buenos días	bom dia
bufanda *f*	cachecol
buscar	procurar

C

cabeza *f*	cabeça
cabina *f* **telefónica**	cabine telefônica
cada	cada
cada dos horas	a cada duas horas
caer	cair
café *m*	café

Vocabulário

cafetería f	cafeteria, café	cerveza f de barril	chope
calamares m pl a la romana	lula empanada e frita	chalet m	casa de veraneio
		chaqueta f	jaqueta
calefacción f	calefação, aquecimento	charlar	conversar, bater papo
calidad f	qualidade	chequeo m	revisão, checagem
calle f	rua	chico m	garoto, menino
calor m	calor	chiflar	ficar louco
calzada f	pista	chocar	bater, chocar
cama f	cama	choque m	batida, choque
camarero m, -a f	garçom	chorizo m	linguiça apimentada
cambiar	mudar, trocar	churro m	churro (massa frita)
caminar	caminhar	cielo m	céu
camino m	caminho	cigarrillo m	cigarro
camino a	rumo a	cine m	cinema
camión m	caminhão	cinta f	fita cassete
cámping m	camping	cinta f de equipaje	esteira de bagagem
campo m	campo, interior	cintura f	cintura
campo m de fútbol	campo de futebol	cinturón m de seguridad	cinto de segurança
canción f	canção		
cansado, -a	cansado, -a	cita f	encontro
cantar	cantar	ciudad f	cidade
cara f	cara, rosto	claro	claro
caramba	caramba, (aquí:) uau	clase f	aula
cariñoso, -a	carinhoso, -a	clases f pl de tenis	aulas de tênis
carne f	carne	clínica f	clínica
carne f de pollo	carne de frango	club m nocturno	casa noturna
carne f picada	carne moída	coche m	carro
carnicería f	açougue	cocina f	cozinha
caro, -a	caro, -a	cocinar	cozinhar
carretera f	estrada	coger (-j-)	pegar
carta f	carta, cardápio	colegio m	escola (privada)
casa f	casa	colgar (-ue-)	pendurar
casa f de comidas	local para comer	colocar	colocar
casi	quase	comenzar (-ie-)	começar
casi nunca	quase nunca	comer	comer
caso m	caso	comercio m	loja
castañuelas f pl	castanholas	comida f	almoço
castellano m	castelhano	comisaría f	delegacia
catedral f	catedral	como	como
caza f	caça	¿Cómo?	Como?
cazuela f	panela	cómo no	como não
cebolla f	cebola	como para	como para
celebrar	celebrar	como siempre	como sempre
cena f	jantar, ceia	cómodo, -a	confortável
cenar	jantar, cear	compasión f	compaixão
céntimo m	centavo	completo, -a	completo, -a
centro m	centro da cidade	complicado, -a	complicado, -a
cerca	perto	comportarse	comportar-se
cerrar (-ie-)	fechar	compra f	compra
cerveza f	cerveja	comprar	comprar

Vocabulário

comprender	entender, compreender	cuenta f	conta (no restaurante)
comprobar (-ue-)	comprovar	cuero m	couro
comunicar	estar ocupado (telefone)	cuidar a alguien	tomar conta de alguém
con gusto	com prazer	culpa f	culpa
con mucho gusto	gostaria muito de	culpable	culpado
coñac m	conhaque	cumpleaños m	aniversário
concertar (-ie-)	organizar, marcar	cuñada f	cunhada
concreto, -a	concreto, -a	cuñado m	cunhado
conducir (-zc-)	dirigir	curioso, -a	curioso, -a
conductor m	motorista		
conejo m	coelho	**D**	
confortable	confortável	dar	dar
conocer (-zc-)	conhecer	dar gritos	gritar
conocimientos m pl generales	conhecimentos gerais	dar un frenazo	frear
conseguir (-i-)	conseguir	darle tiempo al tiempo	dar tempo ao tempo
consistir de	consistir de	de	de
consulado m	consulado	¿De acuerdo?	certo?
consulta f	consultório	de atrás	de trás, detrás
contagiar	contagiar	¿De dónde?	De onde?
contar (-ue-)	contar	de maravilla	maravilhoso
contener (-g-)	conter	de memoria	de cor
contento, -a	contente	de nada	de nada
contestar	responder	de noche	à noite
control m	controle	de paso	de passagem, no caminho
control m de pasaportes	controle de passaportes	de prisa	depressa
copa f	copo (de vinho)	de pura cepa	de boa estirpe, legítimo
copia f	cópia	de todos modos	de qualquer forma
corral m	curral, galinheiro	de verdad	realmente
correr	correr	de vez en cuando	de vez em quando
cosa f	coisa	debajo de	debaixo de
cosas f pl dignas de ver	coisas que valem a pena ver	deber	dever
costa f	costa, litoral	deber de	dever, ter de
costar (-ue-)	custar	decir	dizer
creer	acreditar	declaración f	declaração, (aqui:) depoimento
crema f	sopa creme	declaración f de los hechos	(aqui:) boletim de ocorrência
cruzar	atravessar		
cuadro m	quadro	declarar	declarar
¿Cuál?	Qual?	decorado m	decoração
¿Cuánto, -a?	Quanto, -a?	dejar	deixar, sair
¿Cuánto es?	Quanto custa?	delante de	diante de, em frente a
cuarto m	quarto		
cubierto m	talheres	denuncia f	denúncia
cucaracha f	barata	denunciar	denunciar
cuchara f	colher	departamento m	compartimento de trem
cucharada f	colherada		
cuchillo m	faca		

Vocabulário

depende	depende	donde	onde
dependiente m/f	vendedor, -a, balconista	¿Dónde?	Onde?
deporte m	esporte	dormir (-ue-)	dormir
depósito m	tanque de gasolina	dormir como un tronco	dormir como uma pedra
derecha f	direita	dormitorio m	quarto
desagradable	desagradável	ducha f	chuveiro
desastre m	desastre, acidente	duchar	tomar banho de chuveiro
desayunar	tomar o café da manhã	dudar	duvidar
desayuno m	café da manhã	dulce	doce
descansar	descansar	dulce m	doce(s)
descolgar (-ue-)	desligar o telefone	duro, -a	duro, -a
describir	descrever		
descuidar	descuidar	**E**	
desde	desde	echar	jogar, derramar, colocar
desde hace	desde há..., por	echar a alguien de menos	sentir saudades de alguém
desear	desejar, querer	ejercicio m	exercício
desgracia f	desgraça	electricidad f	eletricidade
despedida f	despedida	electrizar	eletrizar, eletrificar
despedirse (-i-)	despedir-se	elegante	elegante
despedir a alguien	despedir alguém	el invierno	inverno
después	depois	el otoño	outono
después de	depois de	el verano	verão
desvergonzado, -a	sem-vergonha, (aqui:) cãozinho mau	empanadas f pl	pastéis assados com diversos recheios
detallado, -a	detalhado, -a	empaquetar	embrulhar
detrás de	atrás de	empezar (-ie-)	começar
deuda f	dívida	empleada f	funcionária
día m	dia	emplear	empregar
día m de la salida	dia da partida	en	em
día m del santo	dia do aniversário	en absoluto	em absoluto
diciembre m	dezembro	en casa de	na casa de
diferente	diferente	en caso que	no caso de
difícil	difícil	en las afueras de	fora de
dígame	literalmente: "diga-me" (ao atender o telefone)	en oferta f	em oferta
		en plena calle	em plena rua
		en principio	em princípio
		en un abrir y cerrar de ojos	em um abrir e fechar de olhos
digno, -a	digno, -a	en vano	em vão
dinero m	dinheiro	enamorado, -a	apaixonado, -a
dirección f	endereço	encantado, -a	prazer em conhecê-lo,-a
directo, -a	direto, -a		
discoteca f	danceteria	encantar	gostar
disfrutar de	desfrutar	encantar a alguien	encantar alguém
divertido, -a	divertido, -a	encima de	em cima de
divertirse (-ie-)	divertir-se	encontrar (-ue-)	encontrar
doler (-ue-)	doer	encontrarse (-ue-)	encontrar-se
dolor m	dor		
domingo m	domingo		

Vocabulário

encuentro m	encontro	estar	estar
enero m	janeiro	estar acostumbrado	estar acostumado a
enfadarse	zangar-se	a alguna cosa	alguma coisa
enfermera f	enfermeira	estar de acuerdo	concordar com
enfermo m	(o, a) doente	estar de pie	ficar em pé
enfermo, -a	(estar) doente	estar hecho polvo	ficar destruído,
enfrente	em frente a		estar exausto,
	do lado oposto		quebrado
¿En qué puedo	No que posso	estómago m	estômago
servirle?	ajudá-lo?	estrecho, -a	estreito, -a
ensalada f	salada	estropeado, -a	quebrado, -a
enseñar	mostrar	estudiante m/f	estudante
¿En serio?	Sério?	estudiar	estudar
entonces	então	estudio m	estúdio
entrada f	entrada, ingresso	estupendo, -a	excelente
entrar	entrar	euro m	euro
entrar en	entrar em	evitar	evitar
entre	entre	exactamente	exatamente
entrevista f	entrevista	exacto, -a	exato, -a
envuelto, -a	embrulhado, -a	excelente	excelente
época f	época	excepcional	excepcional
época f del año	estação do ano	excepto	exceto, com
equipaje m	bagagem		exceção de
equipaje m de mano	bagagem de mão	exceso m de peso	excesso de peso
equipo m	equipe	excursión f	excursão
escaparate m	vitrine	excusa f	desculpa
escribir	escrever	excusarse	desculpar-se
escritorio m	escrivaninha	exigir	exigir
escuchar	escutar	experiencia f	experiência
escuela f	escola	experiencia f laboral	experiência
escuela f de lenguas	escola de idiomas		profissional
espalda f	costas	explicar	explicar
España f	Espanha	exposición f	exposição
español, -a	espanhol, -a	extranjero, -a m/f	estrangeiro, -a
espárrago m	aspargo	extravagante	extravagante,
especial	especial		moderno
especializarse en	especializar-se em		
espectáculo m	espetáculo	**F**	
esperar	esperar	fabricar	fabricar
esposa f	esposa	fácil	fácil
esposo m	esposo	facturar	(*aqui:*) fazer check-in,
esquí m	esqui		despachar
esquina f	esquina	falda f	saia
está bien	tudo bem	faltar	sentir falta
estación f central	estação ferroviária	familia f	família
	central	familiar	familiar
estación f de servicio	posto de serviços	famoso, -a	famoso, -a
	(e abastecimento)	fanático, -a de	fanático, -a
estación f del metro	estação de metrô	fantástico, -a	fantástico, -a
estadio m	estádio	farmacia f	farmácia
Estados Unidos	Estados Unidos	febrero m	fevereiro

Vocabulário

feliz	feliz
feliz cumpleaños	feliz aniversário
festejar	festejar, celebrar
festivo, -a	festivo, -a
ficha f	formulário, ficha
fiebre f	febre
fiesta f	festa
fijo, -a	fixo, -a
fin m de semana	fim de semana
finalmente	finalmente
flamenco m	flamenco
flan m	pudim de leite
flojo, -a	fraco
flor f	flor
fondo m	fundo
footing m	corrida
formulario m	formulário
fotografía (foto) f	fotografia
frenazo m	freada
frenazo m de emergencia	freada de emergência
frío m	frio
fruta f	fruta
fuego m	fogo
fuera	saia
fuerte	forte, (aquí:) substancial
fumador m	fumante
fumar	fumar
fútbol m	futebol

G

gafas f pl	óculos
galante	galante
galleta f	biscoito
gallina f	galinha
gallinas f pl de corral	galinha caipira
gamba f	lagostim, camarão
gana f	vontade
ganga f	barganha, pechincha
garganta f	garganta
gasolina f	gasolina
gasolinera f	posto de gasolina
gastar	gastar, consumir
gato m	gato
generalmente	geralmente
genial	genial
gente f	gente
gota f	gota
gracias	obrigado, -a
gracias a Dios	graças a Deus
gramo m	grama
gran almacén m	loja de departamentos
grande	grande
grandeza f	grandeza
grave	grave
gripe f	gripe
gris	cinza
grito m	grito
grupo m	grupo
guapo, -a	belo, -a, bonito, -a
guay (coll.)	ótimo
guía m	guia de viagens
guía f de teléfonos	lista telefônica
gustar	gostar

H

haber	haver
habitación f	quarto de hotel
habitación f doble	quarto duplo
habitación f individual	quarto individual
hablar	falar
hacer	fazer, haver
hace calor	faz calor
hace frío	faz frio
hace mucho calor	faz muito calor
hace unos meses	faz alguns meses
hacer autostop	pedir carona
hacer falta	fazer falta
hacer transbordo	fazer baldeação
hacerse (-g-)	tornar-se
hambre f	fome
harina f	farinha
hasta	até
¡Hasta la vista!	Até a vista!
¡Hasta luego!	Até logo!
¡Hasta mañana!	Até amanhã!
¡Hasta otro día!	Até mais!
¡Hasta pronto!	Até logo!
hay	há
helado m	sorvete
hermana f	irmã
hermano m	irmão
hija f	filha
hijo m	filho
hijos m pl	filhos
hinchado, -a	inchado, -a
histórico, -a	histórico, -a
¡Hola!	Olá!

Vocabulário

Hola, ¿qué hay?	Oi, e aí?
Hola, ¿qué tal?	Oi, como vai?
hombre *m*	homem
hombro *m*	ombro
hora *f*	hora
horno *m*	forno
hospital *m*	hospital
hostería *f*	restaurante descontraído que serve pratos locais
hotel *m*	hotel
hoy	hoje
hubo (de haber)	houve
huella *f*	passo, trilha
huevo *m*	ovo
húmedo, -a	úmido
huracán *m*	furacão

I

ida *f*	ida
ida y vuelta	ida e volta
idea *f*	ideia
iglesia *f*	igreja
igual	igual
imaginarse	imaginar
importancia *f*	importância
importante	importante
importar	importar
imposible	impossível
impresión *f*	impressão
impresionante	impressionante
impresionar	impressionar
incluir	incluir
incluso	inclusive
increíble	incrível
información *f*	informação
informática *f*	informática
ingeniero *m*	engenheiro
Inglaterra	Inglaterra
inglés, -a	inglês, -a
ingrediente *m*	ingrediente
inhalación *f*	inalação
inicial	inicialmente
inmediato, -a	imediato, -a
inofensivo	inofensivo
inquietarse	inquietar-se, preocupar-se
insaciable	insaciável
inspección *f*	inspeção
inspiración *f*	inspiração
instalar	instalar
instituto *m*	instituto
interesado *m*	interessado, -a, candidato, -a
interesante	interessante
internacional	internacional
invitado *m*	convidado
ir	ir
ir de cámping	ir acampar
ir de compras	fazer compras
irse	ir embora
isla *f*	ilha
italiano, -a	italiano, -a
izquierda *f*	esquerda

J

jamón *m*	presunto
jamón *m* serrano	presunto cru
jardín *m*	jardim
jerez *m*	xerez
jersey *m*	pulôver
joven	jovem
judías *f pl* verdes	vagens
jueves *m*	quinta-feira
jugar	jogar
julio *m*	julho
junio *m*	junho
junto, -a	junto, -a

K

kilo *m*	quilo
kilómetro *m*	quilômetro

L

laboral	profissional
ladrar	ladrar, latir
ladrón *m*	ladrão
lamentar	lamentar
lámpara *f*	lustre
la primavera	a primavera
la primera vez	a primeira vez
largo, -a	longo, -a
lata *f*	lata
latino	latino
lavabo *m*	lavatório
lavado *m*	lavagem
lavadora *f*	máquina de lavar roupas
lavar al seco	lavar a seco
lavarse	lavar-se
lección *f*	lição
leche *f*	leite

DOSCIENTOS OCHENTA Y UNO

Vocabulário

leer	ler	manchego	tipo de queijo
lejos	longe	mandarina f	mexerica
lengua f	língua	mano f	mão
levantarse	levantar-se	mantón m	xale
libre	livre	marca f	marca
libro m	livro	marcar	discar, digitar
ligero, -a	leve	marcharse	sair
limpio, -a	limpo, -a	marido m	marido
líquido m	líquido, fluido	marrón	marrom
líquido m de frenos	fluido de freios	martes m	terça-feira
lista f	lista	marzo m	março
listo, -a (estar)	pronto, -a	más	mais
listo, -a (ser)	esperto, -a	más o menos	mais ou menos
llamada f	chamada	más próximo, -a	mais próximo, -a
llamada f a cobro revertido	chamada a cobrar	mascota f	mascote
		matar	matar
llamar	chamar, telefonar	matar dos pájaros de un tiro	acertar dois coelhos com uma cajadada só
llamarse	chamar-se		
llave f	chave		
llavero m	porta-chaves	mayo m	maio
llegar	chegar	me	me
llego tarde	chego atrasado	me encantan	(aqui:) eu adoro
llenar	preencher	media hora más	mais meia hora
lleno, -a	cheio, -a	medianoche f	meia-noite
llevar retraso	estar atrasado	media suela f	meia-sola
llevarse alguna cosa	levar alguma coisa	medicamento m	medicamento, remédio
llover (-ue-)	chover		
lluvia f	chuva	médico m	médico
lo hago por mi cuenta	faço por minha própria conta	medio, -a	meio, -a
		mediodía m	meio-dia
lo siento	me desculpe	mejorar	melhorar
lo siento mucho	sinto muito	mejorarse	ficar melhor
lo siento, pero no es posible	me desculpe, mas isso não é possível	melancólico, -a	melancólico, -a
		menú m turístico	menu turístico
local (adj.)	local	merecer (-zc-)	merecer
local m	lugar para comer	merendar (-ie-)	tomar um lanche
loco m	louco	merienda f	lanche da tarde
luego	depois	mermelada f	geleia
lugar m	lugar	mes m	mês
luna f	lua	mesa f	mesa
lunes m	segunda-feira	mesón m	restaurante com decoração rústica que serve pratos locais
M			
madre f	mãe	meter	colocar dentro
madrileño, -a	madrileno, -a (habitante de Madri)	metro m	metrô
		México m	México
madrugada f	madrugada	mi	meu, minha
magdalena f	madalena (bolinho)	miedo m	medo
maleta f	mala	mientras	enquanto
malo, -a	mau, má	mientras tanto	enquanto isso
mañana f	manhã	miércoles m	quarta-feira

282   DOSCIENTOS OCHENTA Y DOS

Vocabulário

mil veces	mil vezes	niño *m*	menino
mínimo, -a	mínimo	niños *m pl*	crianças
mío	meu	no	não
mirar	ver	no es nada	não foi nada
mismo, -a	mesmo, -a	no fumadores	não fumantes
mochila *f*	mochila	no hay de que	não há de quê
moda *f*	moda	¿No le parece?	Você não acha?
modelo *m*	modelo	noche *f*	noite
moderno, -a	moderno, -a	nombre *m*	nome
molestar	perturbar, incomodar	nórdico, -a	nórdico, -a
momento *m*	momento	normalmente	normalmente
monedero *m*	porta-moedas	nota *f*	nota
mono, -a	bonitinho, -a	noticia *f*	notícia, mensagem
monte *m*	montanha	noviembre *m*	novembro
morder (-ue-)	morder	nube *f*	nuvem
morir (-ue-)	morrer	nuestro, -a	nosso, -a
mostrador *m*	marcador, balcão	nuevo, -a	novo, -a
mostrar (-ue-)	mostrar	número *m* de	número de
motor *m*	motor	teléfono	telefone
mozo *m*	garçom	nunca	nunca
mucho, -a	muito, -a		
muchas felicidades	muitas felicidades	**O**	
muchas gracias	muito obrigado, -a	o	ou
muchedumbre *f*	multidão	obra *f*	obra
mucho gusto	prazer em conhecê-lo	ocasión *f*	ocasião
mueble *m*	móvel	octubre *m*	outubro
mujer *f*	mulher	ocupado, -a	ocupado, -a
museo *m*	museu	ocuparse de alguna	examinar alguma
música *f*	música	cosa	coisa
muy	muito	ocurrir	ocorrer
		oferta *f* de trabajo	proposta de emprego
N		oficina *f*	escritório
nacional	nacional	oficina *f* de	central de
nadie	ninguém	información	informações
naipe *m*	cartas de baralho, naipe	oficina *f* de la	agência telefônica
		telefónica	
nata *f*	creme, chantilly	ofrecer (-zc-)	oferecer
natación *f*	natação	Oiga.	literalmente: "Ouça."
naturalmente	naturalmente		
Navidad *f*	Natal	oír	ouvir
necesario, -a	necessário, -a	ojalá	tomara
necesitar	precisar	olvidar	esquecer
negro, -a	negro, -a	operación *f*	operação
nervioso, -a	nervoso, ansioso	oportunidad *f*	oportunidade
neumático *m*	pneu	óptica *f*	ótica
nevar (-ie-)	nevar	organizar	organizar
niebla *f*	névoa, neblina	orgullo *m*	orgulho
nieta *f*	neta	oso *m*	urso
nieto *m*	neto	oso *m* de felpa	ursinho de pelúcia
nietos *m pl*	netos		
niña *f*	menina	otro, -a	outro, -a
ninguno, -a	nenhum, -a		

Vocabulário

P
pacífico, -a	pacífico, -a, (aquí:) bem-comportado
padre m	pai
padres m pl	pais
paella f	paella (prato típico espanhol)
paellera f	panela de paella
pagar	pagar
país m	país
pájaro m	pássaro
palabra f	palavra
pálido, -a	pálido, -a
palmoteo m	palmas ritmadas
pan m	pão
pan m integral	pão integral
panadería f	padaria
pantalones m pl	calças
papel m	papel
paquete m	pacote
para	para
¿Para cuándo?	Para quando?
¿Para qué?	Para quê?
¿Para qué hora?	Para que horas?
¿Para quién?	Para quem?
para mayor seguridad	para maior segurança
parada f	ponto de ônibus
parecer (-zc-)	parecer
pared f	muro
parque m	parque
parrillada f	carnes grelhadas
parte f	parte
parte f trasera	parte de trás
partido m de fútbol	partida de futebol
partir	partir
pasajero m	passageiro
pasaporte m	passaporte
pasar	passar
pasearse	sair para passear
paseo m	passeio
pasión f	paixão
pastel m	bolo, torta doce
pastilla f	comprimido
pata f	pata
patata f	batata
patrón m	santo padroeiro
pedir (-i-)	pedir
pedir excusas	pedir desculpas
pedir hora	marcar hora
peinarse	pentear-se
película f	filme
peligroso, -a	perigoso, -a
pelo m	cabelo
pensión f	pensão
pequeño, -a	pequeno, -a
perder de vista	perder de vista
perdiz f	perdiz
perdón	perdão, desculpe-me
perfectamente	perfeitamente
periódico m	jornal
permiso m de conducir	carteira de habilitação
permitir	permitir
pero	mas
perro m	cachorro
perseguir (-i-)	perseguir
persona f	pessoa
pesado,-a	pesado,-a
pesar	pesar
pescado m	peixe (prato de)
pie m	pé
pierna f	perna
pintar	pintar
pintor m	pintor
Pirineos m pl	Pireneus
pisar	pisar
piscina f	piscina
piso m	apartamento
piso m	andar, piso
planchar	passar a ferro
planear	planejar
plano m de la ciudad	mapa da cidade
planta f	andar, piso
plato m	prato
playa f	praia
plaza f	praça
plomo m	chumbo
pobrecito m	coitadinho
poco, -a	pouco, -a
poder (-ue-)	poder
policía f	policial
póliza f del seguro	apólice de seguro
pollo m	frango
polvo m	pó
poner	colocar
ponerse triste	ficar triste
por	por
por aquí	por aqui
por ciento m	por cento
por ejemplo	por exemplo
por el momento no	no momento não
por favor	por favor

Vocabulário

por fin	por fim	qué cara	que cara de pau
por lo menos	pelo menos	qué horror	que horror
por mucho que	por mais que	qué interesante	que interessante
por si las moscas	por via das dúvidas	qué lástima	que pena
porcelana f	porcelana	qué mar de	que mar de
porque	porque	qué pena	que pena
porrón m	jarra de vinho com bico	¿Qué tal has comida?	O que achou da comida?
postre m	sobremesa	qué te mejores	melhore
practicar	praticar	qué te vaya bien	tudo de bom
práctico, -a	prático, -a	quedar	ficar
precio m fijo	preço fixo	quedar	(aqui:) cair bem
precioso, -a	precioso, -a, (aqui:) magnífico	quedarse	ficar
		querer (-ie-)	querer
precisamente	precisamente	queso m	queijo
predilecto	predileto	¿Quién?	Quem?
preferencia f	preferencial	quisiera	gostaria
preferir (-ie-)	preferir	quizá(s)	talvez
pregunta f	pergunta		
preocuparse	preocupar-se	**R**	
preparar	preparar	rápidamente	rapidamente
presentarse	apresentar-se	rara vez	raramente
presión f	pressão	raro, -a	raro, -a
prestar	emprestar	rastro m	mercado de pulgas
prever	prever	rato m	momento
prima f	prima	rayado, -a	listrado, -a
primero, -a	primeiro, -a	realmente	realmente
primo m	primo	rebaja f	desconto
prisa f	pressa	recado m	recado
probador m	provador	recados m pl	pequenas tarefas
probar (-ue-)	provar	recepcionista m/f	recepcionista
probarse (-ue-)	experimentar	receta f	receita médica
problema m	problema	recetar	receitar
profesión f	profissão	recibir	receber
profesor m	professor	recoger	recolher
profundamente	profundamente	recomendar (-ie-)	recomendar
prohibido, -a	proibido, -a	reconocer (-zc-)	reconhecer
pronto	imediatamente	reflejar	refletir
propina f	gorjeta	regalar	dar de presente
proponer	propor	regalo m	presente
provincia f	província	regatear	regatear, pechinchar
próximo, -a	próximo, -a		
puente m	ponte	región f	região
puerta f	porta	regla f	regra
puesto m de trabajo	vaga de trabalho	regresar	regressar, voltar
puro, -a	puro, -a	reirse a carcajadas	rir às gargalhadas
		rellenar	preencher
Q		reloj m	relógio
qué	quê	relojería f	relojoaria
¿Qué?	Quê?	remolcar	rebocar, guinchar
qué barbaridad	que barbaridade		

Vocabulário

RENFE *f* (Red Nacional de Ferrocarriles Españoles)	companhia ferroviária estatal espanhola	sediento	sedento, com sede
		seda *f*	seda
		seguir (-i-)	seguir
reparaciones	consertos	según	segundo
reparar	consertar	segundo, -a	segundo, -a
repetir (-i-)	repetir	seguramente	com certeza, (*aqui:*) sem dúvida
requerir (-ie-)	exigir		
reserva *f*	reserva	seguridad *f*	segurança
reservar	reservar	sello *m*	selo
respetar	respeitar, prestar atenção a	semana *f*	semana
		semana *f* que viene	semana que vem
respiración *f*	respiração	señal *f*	sinal
respirar	respirar	sencillo, -a	simples
resto *m*	resto	sentarse (-ie-)	sentar-se
resultar	resultar	sentimiento *m*	sentimento
retrato *m*	retrato	sentir (-ie-)	sentir
rey *m*	rei	sentirse de maravilla *f*	sentir-se muito bem
rico, -a	delicioso, -a		
río *m*	rio	septiembre *m*	setembro
robar	roubar	ser	ser
robo *m*	roubo	ser aficionado/a a alguna cosa	ser fã de alguma coisa
roedor *m*	roedor		
rojo, -a	vermelho, -a	ser preciso	ser necessário
romper	quebrar	ser probable	ser provável
ropa *f*	roupa	servicios *m pl*	toaletes
rubio, -a	loiro, -a	servir (-i-)	servir
ruido *m*	ruído, barulho	servirse (-i-)	servir-se
		sí	sim
		siempre	sempre
S		siglo *m*	século
sábado *m*	sábado	silla *f*	cadeira
saber	saber, ter gosto de	simpático, -a	simpático, -a
sabroso, -a	saboroso, -a	sin plomo	sem chumbo
sacar	tirar	sino	mas
saco *m* de dormir	saco de dormir	situación *f*	situação
sal *f*	sal	sobre	sobre
sala *f* de espera	sala de espera	sobrina *f*, sobrino *m*	sobrinha, -o
sala *f* de estar-comedor	sala de estar, sala de jantar	sofá *m*	sofá
		sol *m*	sol
salchicha *f*	salsicha	solamente	somente
salir (-g-)	sair, partir	soleado, -a	ensolarado
saltar	saltar	soler (-ue-)	costumar, ter o hábito de
saludar	cumprimentar		
sangría *f*	sangria	solicitar	solicitar
sano, -a	saudável	solicitar alguna cosa	pedir alguma coisa
sardina *f*	sardinha	solo	só
sartén *f*	frigideira	solo, -a	sozinho
sé	eu sei	sonar (-ue-)	tocar
se quedaron con la boca abierta	ficaram de boca aberta	sopa *f*	sopa
		sorpresa *f*	surpresa
secretaria *f*	secretária	sótano *m*	porão
sed *f*	sede		

Vocabulário

su	seu (formal)
subir	subir, embarcar
sucio, -a	sujo, -a
sudoroso, -a	suado, -a
suegra *f*	sogra
suegro *m*	sogro
sueldo *m*	salário
sueño *m*	sono
suerte *f*	sorte
sugerencia *f*	sugestão
sur *m*	sul
susto *m*	susto
suyo, -a	seu, sua (form.)
T	
taberna *f*	bar de vinho
tablao *m* de flamenco	palco de flamenco
tacón *m*	salto
taconeado *m*	sapateado
talla *f*	tamanho (de roupa)
taller *m*	oficina mecânica
tamaño *m*	tamanho
también	também
tampoco	tampouco, nem
tanto, -a	tanto, -a
tapa *f*	*tapa* (petisco na Espanha, aperitivo)
taquilla *f*	bilheteria
tardar	demorar
tardar un rato	demorar um pouco
tarde *f*	tarde
tarjeta *f*	cartão
tarjeta *f* telefónica	cartão telefônico
tarta *f*	bolo de aniversário
tasca *f*	taberna
taxi *m*	táxi
taza *f*	xícara
te importaría	você se importaria
teatro *m*	teatro
técnica *f*	tecnologia
tele(visión) *f*	televisão, TV
teléfono *m*	telefone
temprano, -a	cedo
tenedor *m*	garfo
tener	ter
tener a disposición	ter à disposição
tener ganas de	ter vontade de
tener lugar	acontecer
tener mala cara	ter cara de doente
tener miedo a alguna cosa	ter medo de alguma coisa
tener mucho ojo	manter o olho aberto, prestar atenção
tener razón	ter razão
tener tos	ter tosse
tenis *m*	tênis
terminar	terminar
tesis *f*	tese
testigo *m*	testemunha
tía *f*, tío *m*	tia, tio
tiempo *m*	tempo
tiempo *m* libre	tempo livre
tienda *f*	loja
tienda *f* de confecciones	loja de roupas
tierra *f*	terra
timbre *m*	campainha
tintorería *f*	tinturaria
tíos *m pl*	tios
típico, -a	típico, -a
tipo *m*	tipo
tirar	jogar fora
tiro *m*	tiro
tocar	tocar
tocar el timbre	tocar a campainha
toda una noche	a noite toda
todavía	ainda
todavía no	ainda não
todo	tudo
todo el día	o dia todo
todo está patas arriba	tudo está de pernas para o ar
todo recto	sempre em frente
todos, -as	todos, -as
tomar	tomar
tomar el sol	tomar sol
tomar fotografías	tirar fotos
tomar nota	tomar nota, anotar
tomate *m*	tomate
tortilla *f*	omelete espanhola
tos *f*	tosse
toser	tossir
tostada *f*	torrada
trabajar	trabalhar
trabajo *m*	trabalho
traducir (-zc-)	traduzir
traer (-g-)	trazer
tráfico *m*	tráfego
traje *m*	terno
tranquilo, -a	tranquilo, -a
transcurrir	transcorrer
tratar de (+ inf.)	tratar de

Vocabulário

tren *m*	trem
triste	triste
tristeza *f*	tristeza
trozo *m*	pedaço
turista *m/f*	turista
turístico, -a	turístico
tutearse	falar com a outra pessoa usando o tratamento informal "tú"
tuyo, -a	teu, tua

U

último, -a	último, -a
un, -a	um, -a
un día	um dia
un montón de	um montão de
un paquete	um pacote de
un par de	um par de
un poco	um pouco de
un poquito	um pouquinho de
un ramo	um ramo
una barra	uma barra
una caja de cerillas	uma caixa de fósforos
una docena de huevos	uma dúzia de ovos
una igual	um, -a igual
una rebanada de	uma fatia de
una serie de	uma série de
una tableta	um tablete
universidad *f*	universidade
urgente	urgente
usar	usar
usted	pronome de tratamento da 3ª pessoa (formal)
utilizar	utilizar

V

vacaciones *f pl*	férias
vale	OK
valer	valer
valorar	valorizar
variado, -a	variado, -a
variedad *f*	variedade
vaso *m*	copo
vaya	tudo bem, vá lá
vecino *m*	vizinho
vendedor *m*	vendedor
vender	vender
venir	vir
venta *f*	liquidação, venda
ventana *f*	janela
ventanilla *f* de venta de billetes	bilheteria, guichê
ver	ver
verdad *f*	verdade
verdadero, -a	verdadeiro, -a
verde	verde
verduras *f pl*	verduras
vestíbulo *m*	vestíbulo
vestirse (-i-)	vestir-se
vía *f* aérea	via aérea
viajar	viajar
viaje *m*	viagem
vida *f*	vida
vida *f* nocturna	vida noturna
viernes *m*	sexta-feira
vigilado, -a	vigiado, -a
vino *m*	vinho
visita *f*	visita
visitar	visitar
viva	viva
vivir	viver
volante *m* del seguro	comprovante de seguro
volver (-ue-)	voltar
vuelo *m*	voo
vuelta *f*	volta

Y

y	e
ya	já

Z

zanahoria *f*	cenoura
zapatería *f*	sapataria
zapato *m*	sapato
zumo *m* de naranja	suco de laranja